예수

텍스트

예수
텍스트

김명석 지음

필로스

머리말

생각이 우리 삶을 이끈다는 점은 사람이 가진 가장 중요한 특징입니다. 좋은 생각을 지니는 것보다 사람한테 더 중요한 일은 없습니다. 생각은 과학이론처럼 발견됩니다. 생각은 기술제품이나 예술작품처럼 발명됩니다. 발명품은 아름다울 수 있는데 생각도 아름다울 수 있습니다. 아름다운 생각은 우리 삶을 좋게 바꾸고 드높입니다.

　　예수는 아름다운 생각을 발견했고 발명했습니다. 그의 생각을 받아들이고 즐거워하고 누리는 것은 우리 선택에 달려 있습니다. 많은 이들이 예수의 생각을 깊이 생각해 보지도 않은 채 그를 잘못 믿거나 그를 깔봅니다. 생각을 생각하는 이로서 나는 예수가 무슨 생각을 발견했고 무슨 생각을 발명했는지 이야기하려 합니다.

다만 나는 내가 아는 만큼 그리고 내 생각의 깊이만큼 예수의 생각을 이야기할 수 있을 뿐입니다. 또한 나는 예수 생각의 한 측면만을 이야기할 수 있습니다. 나는 그의 생각을 때때로 잘못 이야기할 수 있고 더 중요한 부분을 놓칠 수도 있습니다

예수는 사람의 이데아가 무엇과 같은지 이야기했습니다. 사람은 마땅히 하늘과 땅 사이에서 살아야 합니다. 예수는 하늘의 삶을 이야기하려고 하느님의 힘이 이 땅에 드러나는 방식을 이야기합니다. 나아가 그는 오직 사랑만이 우리 마음을 구원하고 해방한다는 진실을 드러냅니다. 오늘 다시 이 아름다운 생각을 우리 마음에 담고 지금 여기를 사는 삶이 구원받은 삶이고 해방된 삶입니다. 이것이 곧 예수를 믿는 삶이고 예수를 따르는 삶입니다.

일러두기

1 이 책에서 신약의 구절을 따올 때 주로 참고한 번역은 2001년 표준새번역 개정판과 1995년 현대영역판^{CEV}입니다. 때때로 뜻이 더 잘 드러나도록 고쳤지만 무엇을 고쳤는지 하나하나 밝히지는 않았습니다. 몇몇 땅 이름과 사람 이름은 오늘날 소리로 바꾸었습니다.

2 이 책에서 "하나님"은 홀이름이고 "하느님"은 두루이름입니다. 철학자들은 대체로 만일 적어도 한 하느님이 있다면 그 하느님은 오직 한 분밖에 없다고 생각합니다. 하나밖에 없는 그 하느님을 부르는 홀이름은 여러 가지입니다. 신구약 성경에 나오는 그 하느님을 가리킬 때는 홀이름 "하나님"을 쓰겠습니다.

3   신약의 우리말 번역에서 예수를 부를 때 흔히 "예수님"이라 쓰는데 이 책에서는 모두 "예수"로 바꾸었습니다.

4   예수가 제자에게 했던 말이든 자기 앞에 모인 사람들에게 했던 말이든 모두 높임말로 바꾸었습니다. 예수는 위엄을 부려 남을 억누르는 이가 아니고 권위주의에 사로잡힌 이도 아닙니다.

5   마태복음에 나오는 "하늘나라"를 "하나님 나라"로 바꾸었습니다. 예수는 "하늘나라"나 "천국"을 말한 적이 없습니다. 다만 마태가 유대인 전통에 따라 "하나님"을 "하늘"로 바꾸어 썼을 뿐입니다.

차례

머리말 04
일러두기 06
예수 텍스트 10

PART 1   그 나라가 이미 왔다.

01   낮은 이들이 기쁜 소식을 듣는다 22

02   가장 좋은 다스림이 온다 32

03   그 힘이 이미 여기에 미친다 42

04   더 센 힘으로 사람을 해방한다 54

05   그의 기다림, 달려감, 껴안음, 입맞춤 64

06   억지로 잔치 마당을 채우다 74

PART 2   기쁜 소식이 세상을 바꾸고 있다.

07   온갖, 차별 없이, 더 많이 86

08   남몰래, 어느덧, 반드시 98

09   세상을 온통 바꿀 것이다 104

10   내 손닿을 곳에 있다 112

11   내 삶을 흔들어 놓다 120

12   작은 실패는 내 삶의 배경이다 128

PART 3   해방된 삶은 어떤 삶인가?

13   받은 사랑이 내 삶을 이끈다 138

14   경쟁보다는 사랑을 150

15   여성에게서 빼앗지 못하는 것 160

16   나는 공존을 두려워하지 않는다 174

17   내 자본을 사랑에 투자한다 182

18   하늘이 있다고 생각해 보라! 194

19   나는 어느 나라의 시민인가? 202

PART 4   그리스도인은 무엇을 믿는가?

20   그의 다스림이 그를 말해준다 212

21   예수는 사람의 본이다 218

22   나는 오늘 예수를 만난다 232

23   그리스도인은 사람의 길을 걷는다 242

24   교회는 사람이 생기는 코뮌이다 252

25   예수는 왜 하느님인가? 258

예수 텍스트

가장 좋은 다스림이 그 힘을 발휘할 것입니다. 그것이 낮은 이들에게 힘을 미쳐 그들을 보살필 것입니다. 이것은 기쁜 소식입니다.

기다리던 때가 벌써 다 되었습니다. 가장 좋은 다스림이 이미 여기에 있습니다. 그러니까 그대가 본디 있어야 할 자리 이 다스림 안으로 되돌아오십시오.

가장 정의로운 다스림이 지금 행정력을 발휘하여 가난하고 낮고 억눌린 이를 그 다스림이 미치는 영역으로 억지로 밀어 넣습니다. 억누르는 이보다 더 센 힘으로 억눌린 이를 해방합니다.

사람의 본모습에서 멀어진 모든 억눌리고 낮고 가난한 이여, 가여운 이여, 버림받은 영혼이여, 주저하지 말고 본디 모습으로 되돌아오십시오! 이미 하나님은 문을 열고 두 팔을 벌린 채 그대를 애타게 기다립니다. 그대는 이미 죄인이 아닙니다. 그대는 이미 해방된 존재입니다.

잔치 준비는 모두 마쳤고 초대장은 이미 그대에게 보냈습니다. 하지만 그대는 그 초대에 응하지 않았습니다! 그대는 가장 좋은 다스림이 지금 펼쳐진다는 소식을 기분 나쁜 소식으로 듣나요?

후릿그물이 바다의 온갖 사물을 해변으로 끌어모으듯 가장 좋은 다스림은 세상의 모든 것을 해방의 자리로 끌어당깁니다. 이것은 그 다스림의 무한한 개방성을 보여줍니다. 그 다스림은 온갖 것을 품습니다.

기쁜 소식을 받아들이는 것은 농부가 땅의 힘을 믿듯이 가장 좋은 다스림이 자기 임무를 완수하리라 굳게 믿는 것입니다. 그러한 믿음으로 성장의 은밀함을 참아내는 것입니다. 이 땅을 낮은 이들이 마침내 차지하도록 마련해 놓은 사랑의 장소로 여기는 것입니다.

반죽이 부풀어 오를 때까지 누룩은 반죽 안에서 지금 작용합니다. 마찬가지로 만물을 해방하는 그 다스림도 만물이 화해하고 해방될 때까지 지금 이 땅에서 작용합니다. 작은 씨앗이 새가 깃들 만큼 무성한 나무로 자랍니다. 마찬가지로 낮은 이로 시작하는 이 작은 나라도 모든 것을 해방하는 다스림으로 자랍니다.

가장 좋은 다스림이 언제 어디에서 벌어질지 알아맞히려고 애쓰지 마십시오. 그 다스림은 그런 식으로 벌어지지 않습니다. 그 다스림은 그대가 가닿을 만한 곳에 이미 와 있습니다. 그대가 그것을 누릴지 말지는 그대 마음먹기에 달려 있습니다.

그대가 가장 좋은 다스림의 가치를 알아본다면 그 가치는 그대에게 새로운 가능성, 새로운 세상, 새로운 미래를 열어줍니다. 저기 먼 과거에, 저기 먼 미래에, 저기 먼 곳에 있는 해방이 그대 앞에 지금 와 있습니다. 지금 여기 나타난 해방은 그대 삶을 바꾸는 해방이며 새로운 삶을 살 용기를 주는 해방입니다.

씨앗이 더러는 길가에 떨어져 새들이 와서 쪼아 먹을 수 있습니다. 더러는 흙이 많지 않은 자갈밭에 떨어져 싹이 이내 시들고 뿌리가 없어서 말라 버릴 수 있습니다. 더러는 가시덤불 속에 떨어져 이삭을 맺지도 못할 수 있습니다. 씨 뿌리는 이는 이를 잘 알지만 그래도 씨앗을 뿌립니다. 왜냐하면 몇몇 씨앗은 자라 백배의 이삭을 맺기 때문입니다. 가장 좋은 나라도 이와 같습니다. 그 나라도 장애와 반대에 부딪히겠지만 마침내 백배의 열매를 맺을 것입니다. 그 나라의 시민은 그 장애와 반대를 삶의 배경과 무대로 받아들입니다.

현재는 무한한 사랑을 경험하는 때입니다. 현재는 무한한 해방이 있는 때입니다. 가장 좋은 나라의 시민은 그 해방과 사랑의 사건이 자신의 현재 행위를 이끌게 합니다. 그는 해방되었고 자유롭습니다. 하지만 그는 그 나라의 해방 활동을 방해할 자유까지 갖지는 못합니다. 그는 무한한 빚을 이미 탕감받은 이의 삶을 삽니다. 그는 다른 사람의 삶을 얽매는 채권자 노릇을 하지 않습니다.

온종일 뙤약볕 밑에서 수고한 그대는 막판에 와서 한 시간밖에 일하지 않은 이들과 달리 특별한 대우를 받아야 한다고 생각합니까? 하지만 그것은 가장 정의로운 나라의 시민이 생각하는 방식이 아닙니다. 그 나라의 시민은 타인의 실패가 아니라 무한한 사랑을 자기 실존의 바탕으로 삼습니다. 그는 사랑의 마음으로 바로 옆에 있는 타자와 연대합니다.

지금 이곳에 사는 우리의 본디 삶은 남자로서 또는 여자로서 사는 것이 아닙니다. 남자든 여자든 필요한 일은 오직 하나뿐입니다. 그것은 사랑입니다. 아무도 그것을 우리에게서 빼앗지 못할 것입니다. 우리는 우리가 사랑하는 존재며 사랑받는 존재임을 믿습니다. 이 믿음이 우리를 해방합니다. 이 믿음으로 우리는 가장 좋은 나라의 시민이 될 자격을 얻습니다.

가장 좋은 나라는 좋은 이와 나쁜 이를 가려 나쁜 이를 없애는 데 자기 힘을 쓰지 않습니다. 그 나라는 모든 이에게 해방의 자리를 마지막까지 열어둡니다. 그 나라는 모든 이가 참삶을 살기 바랍니다. 마찬가지로 그 나라 시민은 지금 타자를 파문하거나 쫓아낼 권리가 없습니다. 나쁜 이를 지금 당장 없애는 데 온 힘을 다하는 이는 그 나라의 시민일 수 없습니다.

그대 자본을 자기만의 안전과 영광을 위해 쓰는 일은 그대 소중한 것을 땅에 쌓아두는 일입니다. 하지만 그대 자본을 다른 이를 사랑하고 해방하는 데 쓰는 일은 그대 소중한 것을 하늘에 쌓아두는 일입니다. 그대의 소중한 것을 하늘에 쌓아두십시오. 그대에게 소중한 것이 있는 곳에 그대 마음도 있습니다. 하늘의 시민은 자신의 자본을 사랑과 해방에 투자합니다.

기댈 곳이 없어 오직 하느님에게만 기대는 사람에게 축하드립니다. 그는 지금 하느님 나라의 시민입니다. 슬퍼하는 사람에게 축하드립니다. 하느님이 그를 위로할 것입니다. 온유하고 겸손한 사람에게 축하드립니다. 그가 땅을 차지할 것입니다. 먹고 마시는 것보다 모든 이가 올바르게 대우받기를 바라는 사람에게 축하드립니다. 그는 바라는 것을 얻게 될 것입니다. 자비로운 사람에게 축하드립니다. 하느님이 그를 자비롭게 대하실 것입니다. 마음이 깨끗한 사람에게 축하드립니다. 그는 하느님을 볼 것입니다. 평화를 이루는 사람에게 축하드립니다. 하느님이 그를 아들딸이라 부르실 것입니다. 옳은 일을 하다가 괴롭힘을 당하는 사람에게 축하드립니다. 그는 지금 하느님 나라의 시민입니다.

하늘에 계신 우리 아버지! 가장 정의로운 나라의 다

스림이 지금 여기 이 땅에도 미치게 해주십시오. 가장 정의로운 이의 뜻이 이 땅에서도 이루어지게 해주십시오. 기댈 곳이 없어 오직 하느님에게만 기대는 사람을 당신 나라의 시민으로 삼아 주십시오.

PART 1

그 나라가 이미 왔다.

01

낮은 이들이 기쁜 소식을 듣는다

낮은 이들이 지금 기쁜 소식을 듣습니다.
제가 낮은 이에게 기쁜 소식을 전한다는
사실을 스캔들로 여기지 않는 분에게는
해방이 있을 것입니다.

예수 이야기는 요한과 만남에서 시작한다. 예수의 제자 요한과 구별하려고 그를 "세례자 요한" 또는 "침례자 요한"이라 한다. 요한 이야기는 유대 역사가 티투스 플라비우스 요세푸스$^{CE37-100}$의 『유대 고대사』에도 나온다. 이 책에 따르면 요한은 물로 몸을 씻어 영혼을 깨끗하게 하는 의식을 민중에게 베푼 사람이다. 요한은 들판과 요르단강 주변에서 사람들에게 하나님께 되돌아오라고 설득했고 하나님께 돌아오려는 이들에게 물로 몸을 씻는 의례를 펼쳤다.

  요한의 목소리는 매우 과감하고 거칠다. 그는 메시아가 이내 나타나 세상을 심판하고 정화할 것이라 외친다.

독사 새끼들아! 누가 너희에게 닥쳐올 심판을 피하라고 일러주더냐? 너희가 참으로 너희 잘못을 인정한다면 그에 따른 행동을 보여라. 그리고 너희는 속으로 주제넘게 "우리는 아브라함의 후손이다"고 말할 생각을 하지 말라. 내가 너희에게 말한다. 하나님께서는 이 돌로도 아브라함의 자손을 만드실 수 있다. 도끼를 이미 나무뿌리에 갖다 놓았으니 좋은 열매를 맺지 않는 나무는 다 찍어서 불 속에 던지실 것이다.^{마태3:7-10}

이렇게 말한 다음 그는 "내 뒤에 오시는 분은 나보다 더 능력이 있는 분이시다"^{마태3:11}면서 메시아가 오기 전에 뉘우칠 것을 촉구한다. "그의 손에 키가 들려 있으니 타작마당을 깨끗이 하여 알곡은 곳간에 모아들이고 쭉정이는 꺼지지 않는 불에 태우실 것이다." ^{마태3:12} 이처럼 그에게 메시아는 구원자라기보다 심판자다.

히브리말 "메시아"는 '기름 부음 받은 이'를 뜻한다. 유대 공동체의 최고 지도자는 성스러운 기름을 바른다. 구약의 몇몇 구절에서는 유대의 왕뿐만 아니라 페르시아의 왕까지도 "메시아"라 부르곤 했다. 솔로몬이 죽은 뒤 유대왕국은 북이스라엘과 남유대로 쪼개진다. 이스라엘은 기원전 722년 아시리아의 침략으로 무너지고 유대는 기원전 586년 신바빌로니아의 침략으로 무너진다. 유대인들은 다윗 가문을 이은 새로운 임금이 나타나 통일 유대왕국을 세우기를 바랐다. 새 임금은 유대 사람뿐만 아니라 모든 사람을 다스릴 텐데 그렇게 되면 배고픔과 아픔과 싸움이 없어질 것이다.

한 유대인은 페르시아에 강제로 옮겨져 포로 생활을 하며 메시아를 기다렸다. 다른 유대인은 폐허가 된 이스라엘의 성터와 성전을 보며 메시아를 기다렸다. 선지자들이나 예언자들은 유대 사람들에게 새날을 준비하라고 외쳤다. 그들의 외침은 이사야서부터 말라기서까지 구약성경의 후반부를 이룬다. 그들이 뜨겁게 기다렸던 그 날을 "메시아 시대"라 한다.

이사야는 메시아 시대를 이렇게 그렸다.

사람들은 칼을 쳐서 보습을 만들고 창을 쳐서 낫을 만들 것이다. 나라와 나라가 칼을 들고 서

로를 치지 않을 것이며 다시는 군사훈련도 하지 않을 것이다. 이사야2:4

그때에는 이리가 어린 양과 함께 살며, 표범이 새끼 염소와 함께 눕고, 송아지와 새끼 사자와 살진 짐승이 함께 풀을 뜯고, 어린아이가 이들을 몰고 다닌다. 암소와 곰이 서로 벗이 되며, 이들 새끼가 함께 눕고 사자가 소처럼 풀을 먹는다. 젖 먹는 아이가 독사 굴 곁에서 장난하고 젖뗀 아이가 살무사의 굴에 손을 넣는다. 이사야11:6-8

메시아가 오면 만물은 화해하고 사람은 해방된다.

    기원전 1세기부터 3세기 사이에 유대인 학자들 70명 또는 72명이 히브리말로 된 구약성경을 그리스말로 옮겼다. 이를 "칠십인역"이라 하는데 『칠십인역』은 히브리말 "메시아"를 그리스말 "크리스토스"로 옮겼다. 이 낱말도 "기름 부은"을 뜻한다. 그리스말 "크리스토스"는 나중에 "크리스투스" "크리스트"

"크라이스트" "그리스도" "기독" 따위로 옮겨졌다.

      요한은 선배 선지자들처럼 메시아가 올 것이라 외치던 가운데 예수를 만난다. 그는 예수를 만난 뒤 예수가 메시아라고 차츰 믿게 된다. 그에게 메시아는 민중에게든 권력자에게든 심판자다. 요한은 메시아가 오면 "좋은 열매를 맺지 않는 나무는 다 찍어서 불 속에 던지실 것이다! 타작마당을 깨끗이 하여 알곡은 곳간에 모아들이고 쭉정이는 꺼지지 않는 불에 태우실 것이다!"고 외친다. 메시아 시대가 마침내 왔다는 확신이 너무 강했던 나머지 그는 당시 권력의 핵심부를 비판한다. 이 때문에 옥에 갇히고 곧 사형에 처할 신세가 된다. 요세푸스의 기록에 따르면 많은 대중이 세례자 요한에게 감동했고 그를 따르는 무리가 많았다. 요세푸스는 당시 갈릴리와 페레아 지방을 다스리던 헤로데 안티파스[BCE20-CE39]가 요한의 정치 영향력이 두려워 그를 박해한 것으로 기록했다.

      갇힌 다음 요한은 예수의 여러 활동을 소문으로 듣는다. 하지만 예수의 목소리는 너무 온건하고 세속 권력을 비판하지도 않는다. 그는 예수가 기대했던 메시아로서 역할을 하지 못한다고 실망한다. 요한은 세상의 악에 사납게 저항했지만 세상은 달라지지 않았다. 자신은 옥에서 고통받고 있으며 곧 목이 날아갈 것이다. 마음이 썩어가고 몸이 썩어가는 동안 예수는 지금 무엇을 하는가? 예수는 세상에 어떤 변화를 가져올 수 있는가?

죽음이 가까이 왔다고 생각한 요한은 면회 온 자기 제자들을 예수에게 보낸다. 요한의 제자들이 예수에게 와서 묻는다. "오실 그이가 그대입니까? 그대가 아니라면 우리가 다른 이를 기다려야 합니까?"^{마태11:3} 요한 제자들의 물음에 답하는 예수는 자신감에 넘친다.

> 가서서 그대들이 듣고 본 것을 요한에게 알려주십시오. 눈먼 사람이 지금 볼 수 있으며, 다리 저는 사람이 걸을 수 있으며, 살갗이 썩어가는 사람이 깨끗해지며, 듣지 못하는 사람이 들을 수

있습니다. 죽는 사람이 새 삶을 얻어 일어나며, 낮은 이들이 기쁜 소식을 듣고 있습니다. 저에게 걸려 넘어지지 않는 사람에게 축복이 있을 것입니다.^{마태11:4-6}

예수는 아픈 사람이 치료되는 사건, 죽은 사람이 다시 사는 사건 또는 죽어가는 사람이 다시 활기를 얻는 사건을 요한에게 알려주라 한다.

하지만 치료와 회복은 예수가 알려주라 한 것들 가운데 가장 중요한 일이 아니다. 가장 중요한 일은 "낮은 사람들이 기쁜 소식을 듣는다"는 사실이다. 이 사실이 예수가 요한에게 전할 메시지의 핵심이다. 여기서 "낮은"은 '가난한' '가진 것 없는' '의지할 데 없는' '겸손한' '마음이 가난한' '주저앉은' '계급이 낮은' '억눌린' 따위를 뜻한다.

마지막 구절에서 예수는 요한의 의심을 걱정한다. "저에게 걸려 넘어지지 않는 사람에게 축복이 있을 것입니다." 또는 "제가 그대에게 걸림돌이 되지 않는다면 다행이겠습니다." 여기서 "걸림돌"은 '걸려 넘어지게 하는 돌'인데 그리스말로 "스칸달론"이라 한다. "스칸달론"은 『70인역』에서 구약의 '걸려 넘어지게 하는 것'^{미크숄}을 그리스말로 옮길 때 쓴 낱말이다.

> 듣지 못하는 사람을 저주해서는 안 된다. 눈이 먼 사람 앞에 걸려 넘어질 것을 놓아서는 안 된다. 너는 하나님 두려운 줄을 알아야 한다.$^{레위 19:14}$

"스칸달론"은 "스캔들"의 뿌리말이다. 이것은 우리를 잘못된 행동이나 잘못된 판단으로 이끄는 장애물이다. 누군가의 스캔들은 그 사람의 신뢰를 깨뜨린다. 예수는 자신의 행위들이 자신에 대한 신뢰를 깨뜨릴지 모른다고 걱정한다. 예수는 세례자 요한이 이것 때문에 걸려 넘어가 자신을 거부하지 않을까 우려한다. 현대영어판^{CEV}은 이 부분을 "내가 한 것 때문에 나를 거부하지 않는 사람에게 축복이 있을 것입니다"로 옮겼다.

예수는 자신의 가장 중요한 임무를 가진 것 없는 이에게 기쁜 소식을 전하는 일로 잡는다. 기쁜 소식을 전하는 일은 곧 처형당할 요한에게 스캔들처럼 들릴 것이다. 오늘날 우리에게도 예수의 말과 행동은 그를 만물을 해방하는 메시아로 인정하는 데 걸림돌이다. 예수의 무기력한 생애는 우리에게도 스캔들이다. 예수를 해방의 대표자로 여기는 일은 지성의 불명예다. 하지만 예수는 우리에게 말한다.

> 제가 말하고 행하는 것이 그대에게 걸림돌이 되지 않는다면 다행입니다. 제가 한 것 때문에 나를 거부하지는 말았으면 좋겠습니다. 낮은 이가 지금 기쁜 소식을 듣습니다. 제가 낮은 이에게 기쁜 소식을 전한다는 사실을 스캔들로 여기지 않는 분에게는 해방이 있을 것입니다.

02

가장 좋은 다스림이 온다

가장 좋은 다스림이 그 힘을 발휘할 것입니다. 그것이 낮은 이들에게 힘을 미쳐 그들을 보살필 것입니다. 이것은 기쁜 소식입니다.

예수 이야기를 전한 마태^(마타이), 마가^(마르코스), 누가^(루카스), 요한^(요한나)은 자신의 이야기를 "에우앙겔리온"이라 했다. 여기서 "에우"는 '기쁜'이나 '좋은'을 뜻하고 "앙겔리온"은 '소식'을 뜻한다. '천사'를 뜻하는 영국말 "엔젤"은 '앙겔로스'에서 왔는데 이는 원래 '소식을 전하는 이'를 뜻한다. "에우앙겔리온"은 우리말로 '복음' 또는 '기쁜 소식'으로 옮긴다. "마태복음"은 '예수의 제자 마태가 전해준 예수의 기쁜 소식 이야기'고 "요한복음"은 '예수의 제자 요한이 전해준 예수의 기쁜 소식 이야기'다.

당시에는 전쟁에서 이긴 일, 새 임금이 나타난 일, 임금의 아들이 태어난 일처럼 온 나라가 기뻐할 일을 "에우앙겔리온"이라 했다. 예수와 그 제자들은 무슨 소식을 기쁘게 여겼을까? 네 복음서 가운데 가장 일찍 쓰인 복음서는 마가복음이다. 마가복음의 첫말은 "이 이야기는 하나님의 아들 예수 그리스도에 관한 기쁜 소식이다"^(마가1:1)다. 몇몇 사본에는 "하나님의 아들"이라는 표현이 없다. 마가복음의 마지막 장에서 예수는 제자들에게 "그대들은 온 세상에 나가 모든 사람에게 기쁜 소식을 퍼트려 주십시오."마가16:15 라 당부한다.

누가복음은 예수가 활동을 시작하는 시점을 유대교 회당에서 구약성경을 낭독하는 일로 잡는다. "예수는 자기가 자라난 나사렛에 와서 늘 하던 대로 안식일에 회당에 들어갔다. 그는 성경을 읽으려고 일어서 예언자 이사야의 두루마리를 건네받아 그것을 펴고 이런 말씀이 쓰인 곳을 찾았다."누가4:16-17

복음서 본문이 구약성경을 따올 때는 주로 『칠십인역』에 나오는 번역문을 따온다. 오늘날 구약성경의 표준문서는 히브리말로 된 마소라 본문이다. "마소라"는 히브리말로 '전통'을 뜻한다. 예수가 읽은 이사야서의 마소라 본문은 다음과 같다.

> 주께서 나에게 기름을 부으시니 주 하나님의 영이 나에게 임하셨다. 주께서 나를 보내셔서 낮은 사람들에게 기쁜 소식을 전하게 하셨다.이사야61:1

여기서 "낮은"은 '가난한' '가진 것 없는' '의지할 데 없는' '겸손한' '마음이 가난한' 따위를 뜻한다. 현대 영역본은 "낮은" 대신에 "억눌린"으로 옮겼다.

> 주 하나님의 영이 나를 사로잡았다. 주께서 나를 골라 보내었다. 억눌린 사람들에게 기쁜 소식을 말하게 했다.

"낮은"은 '계급이 낮은'을 뜻한다고 보는 것이 낫겠다.

예수가 이사야서의 이 말씀을 찾아 읽은 사건은 매우 중요한 점을 우리에게 알려준다. 그것은 낮은 이들에게 기쁜 소식을 전하는 것이 곧 자신의 사명이라고 예수 스스로 깨닫고 있다는 점이다. '기쁜 소식'에 대한 몇 가지 실마리를 얻는다. 첫째, 예수는 이 소식을 전하는 것을 자신의 사명으로 여겼다. 둘째, 이 소식은 낮고 가난하고 억눌린 이에게 특별히 먼저 전해야 하는 소식이다. 셋째, 이 소식은 낮고 가난하고 억눌린 이에게도 기쁜 소식이다.

마태복음과 마가복음은 예수가 활동을 시작한 시점을 헤로데 안티파스가 세례자 요한을 잡아 가둔 뒤로 잡는다. "요한이 잡힌 뒤에 예수는 갈릴리에 와서 하나님의 기쁜 소식을 선포했다."^{마가1:14} 이 구절에서 "기쁜 소식"은 "하나님의 기쁜 소식"으로 조금 길게 표현된다. 복음서의 다른 구절에서는 "하나님의 기쁜 소식"을 "하나님 나라의 기쁜 소식"으로 더 길게 쓴다.

마태복음은 예수가 활동을 시작하자 이를 다음과 같이 요약한다.

> 예수가 온 갈릴리를 두루 다니면서 그 지역 사람들의 회당에서 가르치며, 하나님 나라의 기쁜 소식을 선포하며, 사람들 가운데서 온갖 질병과 아픔을 고쳐 주었다.^{마태4:23}

예수의 활동이 더욱 활발해질 때도 마태는 이 활동을 다음과 같이 요약한다.

> 예수는 모든 도시와 마을을 두루 다니면서, 유대 사람들의 여러 회당에서 가르치며, 하나님 나라의 기쁜 소식을 선포하며, 온갖 질병과 온갖 아픔을 고쳐 주었다. ^{마태9:35}

예수는 자기 활동을 처음부터 끝까지 기쁜 소식을 전하는 일로 가득 채웠다.

'기쁜 소식'이 무엇을 뜻하는지 조금 더 뚜렷해졌다. 이 소식은 예수 그리스도에 관한 소식이며 하나님 나라에 관한 소식이다. 예수는 이 소식을 낮고 가난하고 억눌린 이에게 전하는 것을 자기 사명으로 삼았다. 예수는 하나님이 어떤 존재인지 설명하는 데 거의 애쓰지 않는다. 오히려 하나님 나라가 어떻게 활동하고 작동하고 작용하는지 설명하는 데 거의 모든 노력을 기울인다. 예수는 하나님 나라가 작동하는 방식이 낮고 가난하고 억눌린 이에게 기쁜 소식이 된다고 보았다.

나라를 이루는 것은 사람, 땅, 다스림인데 여

기서 가장 중요한 것은 다스림이다. 땅과 사람은 나라가 있기 전에도 있었다. 나라가 생기려면 무엇보다 다스림이 있어야 한다. 다스림, 통치권, 통치력, 주권이 없는 상태는 나라가 없는 상태다. 나라 땅이란 다만 다스림이 미치는 영역이고, 나라 사람이란 다만 다스림이 미치는 사람이다. '하나님 나라'는 '하나님의 다스림'이며 '하나님의 힘'이며 '하나님의 활동'이다.

　마태는 "하나님 나라"라고 해야 할 자리에 언제나 "하늘나라"나 "천국"으로 바꾸어 썼다. 마태는 유대인 독자를 염두에 두고 복음서를 기술했다. 이름 "하나님"을 사람의 글씨로 표현하는 것은 유대인 전통에서 금기시되었기에 마태는 "하나님" 대신에 "하늘"을 썼다. 마태가 "하늘나라"라 쓴 것은 모두 "하나님 나라"로 다시 바꾸는 것이 마땅하다. "하늘나라"든 "천국"이든 예수는 이 낱말을 쓴 적이 없다.

　낱말 "하늘나라"나 "천국"을 듣자마자 우리는 어떤 영토나 영역을 먼저 생각한다. 하지만 하나님 나라에 관한 기쁜 소식은 하나님이 소유하거나 거주

하는 영토에 관한 소식이 아니다. 하나님 나라에 관한 기쁜 소식은 하나님의 다스림에 관한 소식이다. 예수가 세상 사람에게 전하고자 했던 기쁜 소식은 하나님의 다스림에 관한 기쁜 소식이다.

하나님 나라에 관한 기쁜 소식은 단순히 그 나라가 웅장하다는 소식이 아니다. 그 나라가 몹시도 아름답다는 소식도 아니다. 그 나라가 돈으로 쉽게 살 수 있다는 소식도 아니다. 하나님 나라의 기쁜 소식은 하나님이 다스리는 방식이 사람들에게 기쁨이 되는 소식이다. 하지만 만일 다스림이 단순히 우리를 통제하고 억압하는 것이면 하나님의 다스림은 우리에게 기쁨이 되기 어렵다.

다스림은 크게 세 가지 일을 한다. 먼저 다스림은 법과 규칙과 규범을 만든다. 그다음 법과 규범에 따라 사는 이를 보상하고 이를 어긴 이를 벌한다. 마지막으로 법과 규범에 따라 나라 사람을 보살핀다. 나라 사람을 보살피는 일이 나라가 하는 일들 가운데 가장 중요하다. 하나님 나라에 관한 기쁜 소식은 하나님이 사람을 어떤 방식으로 보살피는지에 관한 소식이다. 예수는 바로 이 소식을 사람들에게 널리 알리는 것을 자신의 존재 이유로 삼았다. 소식을 알리는 이로서 예수는 이 소식을 믿었다. 그는 그 소식이 사람들에게 기쁜 소식이 되기를 바랐다. 나아가 그는 그 소식이 참되며 기쁜 소식이 되게 해야 했다. 바로 이것이 '메시아'로서 그의 사명이다.

"하나님"은 가장 참되고 가장 착하고 가장 아름다운 이를 부르는 이름이다. 하나님의 다스림은 곧 가장 좋은 다스림이다. 예수는 사람들에게 소식을 전한다. 만일 가장 좋은 다스림이 지금 힘을 미친다면 그것을 기뻐할 사람들은 누구인가? 그들은 낮고 가난하고 억눌린 이들이다.

> 가장 좋은 다스림이 그 힘을 발휘할 것입니다. 그것이 낮은 이들에게 힘을 미쳐 그들을 보살필 것입니다. 이것은 기쁜 소식입니다.

가장 좋은 춤은 단스림이 온다

03

그 힘이 이미 여기에 미친다

기다리던 때가 벌써 다 되었습니다. 가장 좋은 다스림이 이미 여기에 있습니다. 그러니까 그대가 본디 있어야 할 자리 이 다스림 안으로 되돌아오십시오. 가장 좋은 다스림이 이미 여기에 있다는 소식은 참된 소식이며 기쁜 소식이니 이 소식을 믿으십시오.

누가복음은 예수가 활동을 시작하는 때를 회당에서 예언자 이사야의 두루마리 성경을 읊는 때로 잡는다.

> 주 하나님의 영이 나를 사로잡았다. 주께서 나를 골라 보내었다. 억눌린 사람들에게 기쁜 소식을 말하게 했다. 마음 다친 사람을 싸매어 주게 했으며 갇힌 자와 잡힌 자에게 풀려났음을 알리게 했다.^{이사야61:1}

이 구절을 읽은 다음 있었던 일을 누가는 다음과 같이 이야기한다.

> 예수는 두루마리를 말아서 맡는 이에게 되돌려 주고 앉았다. 회당에 있던 모든 이가 예수를 바라보았다. 예수는 그들에게 말했다. "이 성경 말씀이 그대들이 듣는 가운데 오늘 이루어졌습니다."^{누가4:20-21}

이사야의 이 예언이 읽히자마자 이 예언이 지금 이곳에서 실현되었다니! 이것은 매우 놀라운 주장이다.

예수는 기쁜 소식을 사람들에게 전하는 것을 자기 사명으로 삼았고 이 소식이 세상의 모든 사람에게 퍼지기를 바란다. 이 기쁜 소식은 하나님이 사람을 어떤 방식으로 보살피는지에 관한 기쁜 소식이다. 예수는 이 소식이 사람들에게 참으로 기쁜 소식이 되기를 바랐으며 소식대로 실제로 일이 벌어지길 바란다. 예수는 그 예언서의 말씀이 울려 퍼지는 바로 그 자리에서 그 소식이 지금 이루어졌다고 말한다.

예수가 전하려 했던 하나님 나라에 관한 기쁜 소식은 하나님 나라가 미래에 실현될 것이라는 소식이 아니다. 하나님 나라에 관한 기쁜 소식은 가장 정의로운 다스림이 언젠가 시작될 것이라는 소식이 아니다. 그 소식은 가장 좋은 다스림이 바로 지금 여기에 실현된다는 소식이다. 가장 좋은 보살핌이 지금 여기서, 우리 가운데, 이 땅에서 시작되었다는 소식이다. 다시 말해 예수가 우리에게 전한 소식은 최선의 정치가 저기 멀리 하늘에서 언젠가 펼쳐질 것이라는 소식이 아니라 지금 여기 이 땅에서 지금 그 힘을 발휘한다는 소식이다.

가장 좋은 다스림과 보살핌은 어떤 식으로 지금 이 땅에 실현되는가? 예수는 자기 자신을 통해 지금 실현된다고 말한다. "이 성경 말씀이 그대들이 듣는 가운데 오늘 이루어졌습니다." 예수는 자기 자신을 가장 좋은 다스림과 보살핌을 집행하는 행정 수반으로 자리매김한다.

저는 최고 정의의 화신입니다! 지금 여기에 최고 정의가 나타나 이 땅에 그 힘을 미칩니다!

예수의 이 혁명 정부 선언은 몹시 불온하고 몹시 위험하다.

예수는 눈먼 이와 말 못 하는 이를 고친 적이 있다. 질병의 원인을 잘 몰랐던 당시에 눈이 멀고 말을 못 하는 사람은 귀신 들린 것으로 여겨졌다. 간질

이나 소아마비 같은 것도 귀신의 작용이라 믿었고 앓는 사람을 고치는 행위는 넓은 의미에서 귀신을 몰아내는 행위였다. 당시 그리스의 철학에 따르면 좋은 영혼이란 몸의 건강을 유지하는 힘이나 몸의 균형을 뜻한다. 그리고 나쁜 영혼이란 몸의 건강을 해치는 힘이나 몸의 불균형을 뜻한다.

예수가 아픈 사람을 고치는 일을 하자 아픈 이를 고치는 일에 큰 관심이 없었던 사람들이 예수가 악마의 힘을 빌려 이런 일을 한다고 모함한다.

> 이 사람이 악령들의 두목 바알세불의 힘을 빌지 않고서는 악령을 쫓아내지 못할 것이다.^{마태12:24}

이에 예수는 이렇게 대답한다. "악령과 악령이 싸우는 것은 말이 되지 않습니다. 따라서 제가 악령의 힘으로 악령을 내쫓는다는 주장도 말이 되지 않습니다."

만일 예수가 악령의 힘으로 악령을 내쫓지 않는다면 그는 누구의 힘으로 그 일을 하는가? 예수는

"하나님의 영을 힘입어 악령을 내쫓는다"고 말한다. 나아가 예수는 매우 놀라운 주장을 한다.

> 제가 하나님의 영을 힘입어 악령을 내쫓는다면 이것은 하나님 나라가 그대들에게 이미 왔음을 보여줍니다.^{마태12:28}

우리는 낱말 "이미"를 눈여겨 읽어야 한다.

    누가복음 11장 20절에도 똑같은 구절이 나온다. "제가 하나님의 힘으로 악령을 내쫓는다면 이것은 하나님 나라가 그대들에게 이미 왔음을 보여줍니다." 여기서 "하나님 나라가 온다"는 "하나님의 다스림이 여기에 미친다"로 이해해야 한다. 예수의 주장이 말하는 것은 분명하다. 첫째, 예수는 하나님의 영을 힘입어 악령을 내쫓는다. 둘째, 예수의 이 활동은 하나님의 통치가 지금 여기서 벌어진다는 증거다.

    마태와 마가는 예수가 활동을 시작하는 장면을 누가와 다르게 그린다. 하지만 예수의 첫 메시지는 누가와 크게 다르지 않다.

> 뉘우치십시오. 하나님 나라가 가까이 왔습니다.
> 마태4:17
>
> 때가 다 되었습니다. 하나님 나라가 가까이 왔습니다. 뉘우치십시오. 기쁜 소식을 믿으십시오
> 마가1:15

여기서 "뉘우치라"는 '하나님께 돌아오라'를 뜻한다. 또는 '하나님의 아들딸이라는 자기 본래 자리로 되돌아오라'를 뜻한다.

많은 사람이 예수의 첫 말씀을 다음과 같이 읽는다.

> 뉘우치고 하나님께 돌아온다면 당신은 앞으로 하나님 나라에 들어가게 될 것입니다.

하지만 이것은 예수의 기쁜 소식을 잘못 이해한 것이

다. 원문이 뜻하는 대로 "뉘우치십시오. 하나님 나라가 가까이 왔습니다"를 이해하려면 "뉘우치십시오"와 "하나님 나라가 가까이 왔습니다" 사이에 "왜냐하면"을 넣어야 한다.

> 하나님께 되돌아오십시오. 왜냐하면 하나님 나라가 가까이 왔기 때문입니다.^{마태4:17}

실제로 많은 번역본에서 둘 사이에 "왜냐하면"을 넣는다.

또한 "하나님 나라가 가까이 왔다"는 '하나님 나라가 여기에 있다'를 뜻한다. "가까이 왔다"를 '이미 여기 있다'로 옮기는 것이 더 알맞다. 이렇게 읽지 않는다면 이 구절은 "제가 하나님의 영을 힘입어 악령을 내쫓는다면 이것은 하나님 나라가 그대들에게 이미 왔음을 보여줍니다"와 조화를 이룰 수 없다. 따라서 예수의 처음 외침은 다음과 같이 읽어야 한다.

그대가 본디 있어야 할 자리 하나님 앞으로 되돌아오십시오. 왜냐하면 하나님 나라가 이미 여기에 있기 때문입니다. 마태4:17

기다리던 때가 벌써 다 되었습니다. 하나님 나라가 이미 여기에 있습니다. 그러니까 그대가 본디 있어야 할 자리 하나님 앞으로 되돌아오십시오. 하나님 나라가 이미 여기에 있다는 소식은 참된 소식이며 기쁜 소식이니 이 소식을 믿으십시오. 마가1:15

예수의 기쁜 소식을 "뉘우치고 하나님께 돌아온다면 당신은 앞으로 하나님 나라에 들어가게 될 것입니다"로 해석하는 것은 완전히 잘못되었다.

    예수의 기쁜 소식은 뉘우치고 예수 믿으면 언젠가 천당에 갈 것이라는 소식이 아니다. 앞으로 계속 기다려야 한다는 소식은 그다지 기쁘지 않다. 더구나 예수의 기쁜 소식은 예수를 믿지 않으면 지옥에

간다는 협박도 아니다. 지옥에 대한 소식은 기쁘기는 커녕 무섭다. 만일 기독교의 복음이 특정 교리를 믿지 않으면 지옥 간다는 소식이라면 그것이 어떻게 기쁜 소식일 수 있는가? 예수는 자신의 기쁜 소식을 그런 방식으로 묘사하지 않는다.

　　예수의 기쁜 소식을 왜곡하는 낱말들 가운데 가장 나쁜 낱말은 "천당"이다. "천당"은 흔히 "천국"과 비슷한 말로 생각들 한다. "천당"은 성경에 단 한 번도 나오지 않는데도 예수의 메시지가 "천당"에 관한 메시지인 것으로 아는 이들이 매우 많다. 우리는 "죽었다"를 뜻하는 말로 "하늘나라에 갔다" "천국에 갔다" "천당에 갔다" 따위를 쓴다. 이런 용례에서 "천당", "천국", "하늘나라"는 모두 같은 뜻으로 쓰인다. 하지만 예수는 "하늘나라"든 "천국"이든 "천당"이든 이런 표현을 쓴 적이 없다. "하늘나라"는 마태가 사용한 말이고 예수는 "하나님 나라"를 말했다.

　　많은 기독교인은 예수가 다시 오는 것을 기다린다. 하지만 기독교의 본질은 예수가 다시 오는 것을 고대하는 신앙이 아니다. 예수가 다시 오는 것에 초점을 맞춘 신앙 행태는 예수의 기쁜 소식을 잘못 이해한 데서 나왔다. 예수의 기쁜 소식은 자신이 다시 오는 때와 세상 끝 날에 관한 소식이 아니다. 예수의 기쁜 소식은 심판의 날이나 역사의 끝에 관한 이야기가 아니다. 예수는 하나님 나라가 지금 여기 이 땅에 왔다는 소식을 우리에게 전한다. 그는 가장 정의로운 다스림이 지금 이 땅에 힘을 발휘한다고 말한다.

> 기다리던 때가 벌써 다 되었습니다. 가장 좋은 다스림이 이미 여기에 있습니다. 그러니까 그대가 본디 있어야 할 자리 이 다스림 안으로 되돌아오십시오. 가장 좋은 다스림이 이미 여기에 있다는 소식은 참된 소식이며 기쁜 소식이니 이 소식을 믿으십시오.

그 힘이 이미 여기에 미친다

04

더 센 힘으로 사람을 해방한다

가장 정의로운 다스림이 지금 행정력을 발휘하여 가난하고 낮고 억눌린 사람을 그 다스림이 미치는 영역으로 억지로 밀어 넣습니다. 억누르는 이보다 더 센 힘으로 억눌린 이를 해방합니다.

예수는 아픈 사람을 고치는 일이 하나님의 힘을 빌린 것이라 말한다. 그에 따르면 그 일은 하나님의 다스림이 지금 여기서 벌어지고 있음을 보여주는 증거다. "제가 하나님의 영을 힘입어 악령을 내쫓는다면 이것은 하나님 나라가 그대들에게 이미 왔음을 보여줍니다."마태12:28 이렇게 말한 다음 그는 야릇한 말을 덧붙인다.

> 먼저 힘센 사람을 묶어 놓지 않고 어떻게 그 사람의 집에 들어가서 살림을 털어 갈 수 있겠습니까? 그를 묶어 놓은 뒤에야 그 집을 털어 갈 것입니다.마태12:29

예수의 이 말을 뜻풀이하는 데 많은 해석자가 애를 먹는다.
    마가의 기록3:27은 이와 거의 똑같고 누가의 기록도 이와 크게 다르지 않다.

> 힘센 사람이 스스로 무기를 갖추고 자기 집을 지키는 때는 그가 가진 모든 것이 안전합니다. 하지만 그보다 더 힘센 사람이 달려들어서 그를 이기면 그가 믿고 있던 무기를 모두 벗겨낼 것입니다. 그런 다음 그에게 훔친 것을 다른 이와 나누어 갖습니다. 누가11:21-22

예수는 아픈 사람을 고치는 일을 집을 터는 강도질에 빗댄다. 이 비유로 그는 무엇을 말하고자 하는가?

힘이 센 집주인이 무기를 들고 자기 물건을 지킨다. 이 집을 털려면 어떻게 해야 하는가? 먼저 집주인과 싸워 그를 이겨야 한다. 집주인과 싸워 그를 이기는 길은 무엇인가? 예수의 답변은 간단하다. 그 집주인보다 힘이 더 세다면 그를 이길 수 있다. 그런 다음 그의 무기를 모두 빼앗고 그를 묶는다. 그래야 그의 물건을 완전히 털어 갈 수 있다.

앓는 이를 고치는 일, 악령에 사로잡힌 이를 구해내는 일, 억눌린 이를 풀어주는 일도 이와 비슷하다. 병균보다 더 강한 약을 주고, 악령보다 더 튼튼한 영혼이 들어서게 하고, 억누르는 이보다 더 센 해방의 힘을 행사해야 한다. 예수는 자기 자신이 더 강한 힘을 갖고 그것을 이루어낸다고 말한다. 누구의 힘으로? 바로 가장 착한 마음 곧 하나님의 힘으로.

예수의 믿음에 따르면 자신의 힘은 가장 착하고 가장 정의로운 마음에서 나온다. 나아가 이런 힘을 갖고 아픈 이를 고치고 악령에 사로잡힌 이를 구하고 억눌린 이를 풀어준다면, 이것은 하나님 나라가 이미 우리에게 왔음을 보여준다. 바로 이것이 예수가 말하는 기쁜 소식이다. 바로 우리를 고치고 보살피고 풀어주는 강력한 해방의 힘이 지금 여기 이 땅에서 행사된다는 소식! 억눌린 이에게 이 소식은 기쁜 소식이다.

보잘것없는 식민지 팔레스타인의 촌뜨기 청년 예수는 자신을 가장 정의로운 정부의 행정 수반으로 자리매김한다. 그는 이사야서 말씀 "주 하나님의 영이 나를 사로잡았다. 주께서 나를 골라 보내었다.

억눌린 사람들에게 기쁜 소식을 말하게 했으며, 마음 다친 사람을 싸매어 주게 했으며, 갇힌 이와 잡힌 이에게 풀려남을 알리게 했다"를 지금 실현하는 집행자로서 자기 자신을 인식했다. "이 성경 말씀이 그대들이 듣는 가운데 오늘 이루어졌습니다!"누가4:21

하나님 나라란 무엇인가? 그것은 가장 정의로운 다스림으로 사람을 살리고 고치고 풀어주고 보살피는 해방의 강한 힘이다. 그것은 억압하는 그 어떤 다른 힘보다 더 강하다는 점에서 하나님의 힘이다. 그것은 그 어떤 다스림보다 더 정의롭고 착하다는 점에서 하나님의 다스림이다. 바로 이러한 하나님 나라가 지금 이 땅에서 펼쳐진다. 그러니 기뻐하라. 그러니 그대가 원래 있어야 할 자리로 되돌아오라. "기다리던 때가 벌써 다 되었습니다. 하나님 나라가 이미 여기에 있습니다. 그러니까 하나님 앞으로 곧 그대가 본디 있어야 할 자리로 되돌아오십시오. 이 소식은 참된 소식이며 기쁜 소식이니 이 소식을 믿으십시오."마가1:15

예수가 활동하기 이전에는 하나님의 다스림이 없었는가? 예수는 자기의 활동이 매우 특별한 현상이라 믿는다. 그는 자신의 출현과 함께 새로운 시대가 열렸다고 생각한다. 자기 이전에 활동한 세례자 요한까지는 모세의 율법과 예언자의 책이 지배하는 시대였다. 예수가 오기 전까지 인간 역사는 율법과 예언의 시대였다. 그 시대에는 하나님을 믿는 이들은 종교의식에 참가해야 했고, 관례와 규칙을 지켜야 하며, 미래에 나타날 일을 기다려야 했다. 하지만 예수는 그런 시대가 이제 끝났다고 말한다.

예수는 자신을 의심하던 세례자 요한을 높이 평가하면서 이렇게 말한다.

> 세례자 요한 때까지는 사람들은 모세의 율법과 예언자의 책을 따랐습니다. 하나님 나라의 소식이 알려진 뒤로는 모든 사람이 그 나라에 사납게 밀고 들어옵니다.^{누가16:16}

이 구절은 매우 이해하기 어려웠지만 이제 그 뜻이 조금씩 와 닿는다.

요한은 예수의 기쁜 소식을 모른 채 활동했고 요한이 옥에 갇힌 다음에야 예수는 활동을 시작했다. 예수가 활동하자 기쁜 소식이 억눌리고 낮고 가난한 이에게 알려지기 시작했다. 예수는 "억눌린 사람이 기쁜 소식을 듣는다"마태11:5는 사실을 자기 활동의 핵심 징표로 여겼다. 예수의 말 "세례자 요한 때까지는 사람들은 모세의 율법과 예언자의 책을 따랐습니다" 안에 그가 자신의 위치를 어디에 두는지 잘 드러난다.

기쁜 소식이 사람들에게 알려지기 전과 후의 차이는 세례자 요한에 대한 예수의 평가에서도 드러난다. "여태 태어난 사람들 가운데서 세례자 요한보다 더 높은 사람은 없었습니다. 하지만 하나님 나라에서는 아무리 낮은 이라도 요한보다 더 높습니다." 마태11:11 가장 정의로운 다스림이 펼쳐지는 곳에서는 그 어떤 사람도 요한보다 더 높다. 그 차이는 무엇인가? 요한이 아무리 위대하더라도 그는 율법과 예언에 따라 살았을 뿐이다. 그는 참된 해방을 맛보지 못했다. 하지만 하나님 나라에서 사람들은 오직 기쁜 소식만으로 해방을 얻는다.

가장 정의로운 나라는 사람들에게 복종과 헌신과 의무를 먼저 요구하지 않는다. 오히려 해방하는 힘으로 사람들을 가장 참되고 가장 착하고 가장 아름다운 데로 열렬히 끌어들인다. 예수의 메시지가 기쁜 소식이 되는 까닭은 바로 여기에 있다. 그 나라가 사람들을 가장 좋은 자리로 거세게 끌어당긴다. 이 때문에 사람들은 그곳으로 거세게 밀어닥친다. 이것이 "하나님 나라의 소식이 알려진 뒤로는 모든 사람이 그 나라에 사납게 밀고 들어옵니다"^{누가16:16}가 뜻하는 바다. 또한 이것이 "사나운 사람들이 힘으로 하나님 나라를 차지하려고 애씁니다"^{마태}가 뜻하는 바다.

가장 정의로운 다스림이 지금 펼쳐진다는 소식이 사람들에게 알려진 다음에 무슨 일이 벌어지는가? 사람들이 가장 정의로운 다스림을 받으려고 그

공간 안으로 사납게 밀고 들어간다. 사람들이 가장 정의로운 다스림의 혜택을 보려고 격렬히 애쓴다. 사람들이 그 나라에 서로 들어가려고 몸싸움을 한다. "모든 사람이 그 나라에 사납게 밀고 들어옵니다"와 "사나운 사람들이 힘으로 하나님 나라를 차지하려고 애씁니다"는 사람의 능동성을 강조한다.

  한편 예수의 다른 말씀은 하나님의 능동성을 강조한다. 예수의 다른 말씀과 더 잘 어울리는 표현은 "하나님 나라가 사람들을 그 나라에 억지로 밀어 넣고 있습니다"다. 하나님 나라의 공권력이 사람들을 그 나라의 시민으로 불러 모으는 데 지금 동원된다. 그 힘이 지금 여기 이 땅에서 작용한다. 그것은 억누르는 이에게는 나쁜 소식일지 몰라도 억눌린 이에게는 기쁜 소식이다.

  기쁜 소식을 몰랐을 때 사람들은 하나님께 가까이 가려고, 구원받으려고, 해방되려고, 참사람이 되려고, 정의로운 사람이 되려고, 아름다운 사람이 되려고 율법과 계율과 제례에 매달렸다. 이제는 해방의 힘이 이 우주에 지금 작동된다는 소식을 기쁘게 받아들이고 반기는 일이 가장 중요하다. 가장 정의로운 다스림이 수동 상태에 있다가 이제 예수와 더불어 능동 상태로 전환되었다. 가장 정의로운 다스림이 눈을 뜨고 활발하게 활동하기 시작했다.

지금 펼쳐지는 하나님 나라의 공권력은 사람들을 억누르거나 심판하는 데 동원되지 않는다. 예수가 시작한 그 나라의 통치 목적은 사람들을 해방하는 것이다. 예수는 그 나라의 행정 수반으로서 인질 구출 작전 또는 포로 석방 작전을 진행 중이다. 그는 억누르는 이보다 더 센 힘으로 억눌린 이를 해방한다.

> 가장 정의로운 다스림이 이미 여기에 펼쳐집니다. 이 소식은 참된 소식이며 기쁜 소식이니 이 소식을 믿으십시오. 그 다스림이 지금 행정력을 발휘하여 가난하고 낮고 억눌린 이를 그 다스림이 미치는 영역으로 억지로 밀어 넣습니다.

05

그의 기다림, 달려감, 껴안음, 입맞춤

모든 억눌리고 낮고 가난한 이여, 가여운 이여, 버림받은 영혼이여, 주저하지 말고 가장 빛나는 자리로 되돌아오십시오! 그대는 이미 죄인이 아닙니다. 그대는 이미 해방된 존재입니다.

예수는 세리, 불가촉천민, 창녀와 함께 밥을 먹는다. 이들은 당시 "죄인"으로 불렸다. 이들과 밥을 먹는 일은 식탁에 앉아 수저를 들고 서로 떨어져 고상하게 먹는 것을 뜻하지 않는다. 그 시대 그 지역에서 함께 밥 먹는 일은 서로 어깨를 맞대고 기대어 빵을 뜯어 먹는 일을 말한다. 왜 예수는 죄인들과 서로 어깨를 맞대고 기대어 빵을 뜯어 먹을까?

팔레스타인 지역은 로마의 식민지였기에 로마 총독은 지역 거주민에게 세금을 거둬들인다. 세금을 거둘 수 있는 권한을 가진 관료는 그 지역 사람들 가운데서 '세금 징수원'을 고용한다. 이들 세금 징수원의 다른 이름이 바로 "세리"다. 이들은 로마 시민권을 가진 관료가 아니기에 정부에서 별도의 삯을 받지 않는다. 그 대신 거주민에게 징수해야 할 세금보다 약간 더 많이 걷어 자신의 생계를 유지한다. 세리의 이러한 생계유지 방식은 압제자의 편에서 동포를 괴롭히는 '앞잡이' 비슷한 일이었다.

로마제국의 앞잡이 노릇을 한다는 까닭으로

세리를 죄인으로 여기는 일은 어느 정도 이해할 만하다. 불가촉천민은 목동, 가죽을 다듬는 무두장이, 소나 돼지를 잡는 백장 따위를 가리킨다. 이들은 왜 죄인인가? 이들이 죄인인 까닭은 똥, 오줌, 피, 주검 따위를 만지기 때문이다. 이것을 만지는 것이 왜 죄인가? 율법에 규정된 정결 및 청결 의식과는 멀리 떨어진 일이기 때문이다. 이것은 당시 종교 자체가 만들어낸 죄다. 물론 이런 관습은 그 사회에서 나름의 위생과 방역이 필요했기 때문에 생겨났다.

    이 밖에 농민과 노동자 가운데 십일조를 내지 않는 이도 죄인으로 불렸다. 당시 보통의 농민이 내야 하는 세금과 헌금이 35%에 달했다고 한다. 부자에게 35% 세금은 흔하고 견딜 만하다. 하지만 가난한 이들에게 35%의 세금은 너무 무거우며 견디기 어렵다. 이같이 정치, 사회, 경제, 문화, 종교 구조 안에서 온갖 죄인이 양산되었다. 당대 정치 및 종교의 관점에서 보면 '죄인'들은 그 정치 및 종교 체제를 떠받치는 하부 구조다. 그 체제에서 권력을 가진 이들은 하층민을 '죄인'으로 갈래짓는다. 이렇게 만들어진 사회 질서 안에서 권력과 통치가 튼튼히 뿌리 내린다. 예수는 바로 이 방식의 다스림을 무너뜨리려 한다.

하나님의 다스림은 죄인을 양산하는 정치 체제가 아니라 죄인을 방면하는 정치 체제다. 가장 정의로운 나라는 그들을 더는 죄인으로 여기지 않는다. 예수는 그들과 함께 밥을 먹음으로써 그들이 죄인이 아님을 선포한다. 이 관점에서 볼 때 예수가 그들과 밥을 먹는 일은 당시 권력의 상층부와 갈등을 빚는 일이다.

예수의 행위는 바리새파와 서기관의 비위를 상하게 했다. 서기관은 경전 연구자며 성경에 있는 규칙들을 일상생활에서 일어날 법한 사례들에 적용한다. 이들은 오늘날로 보면 법학자나 윤리학자다. 서기관은 주로 바리새파였다. "바리새"는 '분리된 이' '구별된 이'를 뜻한다. 바리새파는 말하자면 '더러운 곳으로부터 떨어져 나와 깨끗한 삶을 사는 이'다. 바리새파는 율법을 지키는 일이 구원과 해방의 길이라 믿는다. 그들은 성실한 종교인이자 율법 근본주의자다. 그들은 죄인이 되지 않으려고 자기 삶 전체를 바쳤다.

서기관과 바리새파는 당대 사회 체제 때문에 죄인들이 양산되고 있음을 인지하지 못했다. 그들은 오히려 죄인 양산 체제를 더 튼튼하게 했다. 그들은 예수의 활동을 투덜거리며 비난한다.

> 이 사람은 죄인을 맞아들이고 심지어 그들과 함께 음식을 먹는구나.^{누가15:2}

예수의 행위는 당시 정치경제 및 종교 권력 체제를 부정하고 흔드는 일이다. 더구나 서기관과 바리새파는 이 체제 안에서 존경받고 인정받기에 예수의 행위는 곧 자신들의 존재 기반을 무너뜨리는 셈이다. 그들은 예수의 실천이 몹시도 위험하다는 것을 눈치 챘다.

기존 종교에서 구원은 계율을 지킴으로써 이뤄진다. 또는 구원은 거룩함, 정결함, 깨끗함으로 이뤄진다. 구원받는 삶은 더러운 사람과 더럽혀진 사람을 멀리하는 삶이다. 하지만 이들 더러운 사람과 더럽혀진 사람은 죄인이 아니라 그냥 '정치 사회 경제 문화 종교의 권력 구조에서 밀려난 사람'일 뿐이다. 예수는 사람들을 이런 방식으로 구원의 중심에서 밀어내는 기존 종교를 해체하려 한다. 그는 그런 종교가 하나님의 다스림과 무관하다고 믿는다.

　　세리, 창녀, 목동, 무두장이, 백장은 '죄인'이 되어 정치종교 체제의 밑바닥에서 조롱받았다. 그들은 자기 존중의 사회 기반을 아예 갖지 못한 채 자기 자신을 부끄러워했다. 하지만 예수는 이들 '죄인'과 더불어 밥을 먹는다. 나아가 그는 이 일을 사람의 본모습에서 멀어진 이를 찾아 해방하는 하나님 나라의 행정 활동으로 여긴다. 예수의 이 일은 지금 이 땅에 펼쳐지는 하나님의 다스림이다.

　　"이 사람은 죄인을 맞아들이고 심지어 그들과

함께 음식을 먹는구나"라는 수군거리는 소리를 듣자 예수는 잃어버린 양 이야기를 들려준다. 목자가 자신의 백 마리 양 가운데 한 마리를 잃으면 "나머지 아흔아홉 마리를 들에 두고 잃은 양을 찾을 때까지 찾아다니듯"누가15:4 그 나라도 잃은 사람들을 애써 찾아다닌다.

> 찾으면 기뻐하며 자기 어깨에 메고 집으로 돌아와서, 벗과 이웃 사람을 불러 모으고, "나와 함께 기뻐해 주십시오. 잃었던 내 양을 찾았습니다" 하고 말할 것입니다.누가15:5-6

잃었던 양을 찾는 일은 목자가 마땅히 해야 하는 일이다. 마찬가지로 '죄인'을 맞아들이는 일은 가장 정의로운 나라의 행정 수반이 마땅히 해야 하는 통치 행위다.

예수는 죄인과 더불어 밥 먹는 일이 자기에게 얼마나 중요한 일인지 강조하려고 차츰 더 센 이야기를 펼친다. 백 마리 가운데 잃어버린 한 마리 어린 양, 열 닢 동전 가운데 잃어버린 한 닢 동전, 그다음은 두 아이 가운데 떠나버린 한 아이 이야기로 나아간다. 한 여인이 패물로 받은 장신구 동전 열 개 가운데 한 닢을 잃어버리면 "등불을 켜고, 온 집안을 쓸며, 그것을 찾아낼 때까지 샅샅이 뒤지듯이"누가15:8 그 나라도 사람의 본디 모습에서 멀리 떠난 이들을 애타게 찾는다.

작은 아이가 아버지의 재산을 미리 물려받고 떠난다. 아이는 그만 재산을 모두 써버리고 비참한 생활을 한다. 아버지는 떠난 아이가 돌아오기를 문 앞에서 늘 기다린다. 마침내 아이는 아버지께로 되돌아가기로 마음먹는다. 예수는 이때 아버지의 모습을 이렇게 그린다.

> 그가 아직도 먼 거리에 있는데 그의 아버지가 그를 보고 가엽게 여겨 달려가 그의 목을 껴안고 입을 맞추었습니다.누가15:20

아이가 자기는 아버지의 아이라 불릴 자격이 없다고 말한다. 하지만 아버지는 종들에게 말한다.

> 어서 좋은 옷을 꺼내 그에게 입히고, 손에 반지를 끼우고, 발에 신을 신겨라. 그리고 살진 송아지를 끌어내어 잡아라. 우리가 먹고 즐기자. 나의 이 아들은 죽었다가 살아났고 내가 잃었다가 되찾았다.^{누가15:22-3}

예수가 죄인과 어울리는 일은 잃었던 아이를 찾아 기뻐하는 아버지의 모습과 같다. 아버지의 이 모습은 곧 하나님 나라의 모습이다.

아버지와 어머니는 떠난 아들과 딸이 자기 품에 되돌아오기를 늘 기다린다. 아버지와 어머니는 아이가 문 앞에 이르기 전에 먼저 달려가 그의 목을 껴안고 입을 맞춘다. 떠난 아이가 되돌아오기를 기다리는 아버지와 어머니의 애타는 이 마음이 하나님 나라의 국가 정체성이다. 하나님 나라는 아버지의 기다림, 그의 달려감, 어머니의 껴안음, 그의 입맞춤이다. 이것이 바로 예수가 지금 우리에게 전하는 기쁜 소식이다.

> 사람의 본모습에서 멀어진 모든 억눌리고 낮고 가난한 이여, 가여운 이여, 버림받은 영혼이여, 주저하지 말고 본디 모습으로 되돌아오십시오! 이미 하나님은 문을 열고 두 팔을 벌린 채 그대를 애타게 기다립니다. 그대는 이미 죄인이 아닙니다. 그대는 이미 해방된 존재입니다.

06

억지로 잔치 마당을 채우다

잔치 준비는 모두 마쳤고 초대장은 이미 그대에게 보냈습니다. 하지만 그대는 그 초대에 응하지 않았습니다! 그대는 가장 좋은 다스림이 지금 펼쳐진다는 소식을 기분 나쁜 소식으로 듣나요?

기존 정치종교 체제에서 버림받은 이들이 예수와 어울리며 가장 좋은 다스림을 누릴 때 율법 근본주의자와 경전 연구자는 오히려 예수의 행위를 깔보고 업신여긴다. 한쪽이 예수와 함께 즐기는 밥상 만남을 기쁘게 받아들일 때 다른 쪽은 그것을 기분 나쁘게 받아들인다. 예수는 기존 정치종교 체제의 반대를 임금의 초대를 거절하는 일로 그린다.

예수는 "하나님 나라는 임금이 자기 아들을 위해 혼인 잔치를 베풀 때 일어난 일에 비길 수 있습니다."^{마태22:2}며 이야기를 시작한다. 임금이 연 혼인 잔치에 초대장을 받은 사람들이 아무도 오지 않았다. 잔치를 망칠 수 없다고 생각한 임금은 명령한다. "초대받은 사람들에게 가서, 어서 잔치에 오시라고 하여라. 황소와 살진 짐승을 잡아 음식을 다 차렸고 잔치 준비를 모두 마쳤다고 하라."^{마태22:4}

초대받은 사람들은 여전히 오지 않았다. 차려 놓은 음식이 식어간다. 밭에 일하러 가고 시장에 물건을 팔러 가고 심지어 임금의 신하를 모욕하고 죽이기까지 했다. 정말 일어나기 어려운 일인데 예수는 전혀 그럴듯하지 않은 이야기를 지어내는 셈이다. 임금은 다시 명령한다.

> 혼인 잔치를 할 시간인데 초대받은 사람은 올 자격이 없다. 너희는 네거리로 나가서 아무나 만나는 대로 잔치에 청해 오너라.^{마태22:8-9}

> 어서 시내의 거리와 골목으로 나가서 가난한 사람과 몸에 장애가 있는 사람과 눈먼 사람과 다리 저는 사람을 이리로 데려 오너라.^{누가14:21}

나아가 임금은 잔치 자리에 빈자리가 없어질 때까지 "큰길과 산울타리로 나가서 사람들을 억지로라도 데려다가 내 집을 채워라"^{누가14:23} 하고 명령한다. 이윽고 "종들은 거리로 나아가 착한 사람이나 못된 사람이나 만나는 대로 다 데려왔습니다. 그래서 혼인 잔치 자리는 손님으로 가득 차게 되었습니다."^{마태22:10}

예수에 따르면 임금의 잔치에서 벌어지는 이 야릇한 일은 하나님 나라의 모습과 같다.

우리는 이 비유에서 두 가지 요소를 찾을 수 있다. 첫째, 잔치 준비는 모두 마쳤다. 다시 말해 모든 것이 지금 마련되었다. 준비가 다 되었다면 이제 남은 것은 손님들이 와서 잔치를 즐기는 것뿐이다. 둘째, 처음에 초대받은 이들은 초대를 거절했다. 나중에 초대받은 손님들이 잔치에 몰려들어 잔칫집을 가득 채웠다.

임금의 혼인 잔치는 앞으로 차릴 예정이 아니라 이미 차려졌다. 이 비유는 모든 사람을 위한 크나큰 잔치가 언젠가 열릴 것임을 말하는 이야기가 아니다. 오히려 하나님의 잔치가 지금 어딘가에서 열렸음을 말한다. 이 비유는 잔치 자리에 아직 오지 않은 이들에게 말한다. "잔치 준비는 모두 마쳤고 초대장은 이미 그대에게 보냈습니다. 하지만 그대는 그 초대에 응하지 않았습니다!"

예수의 이 비유에는 미묘한 긴장이 있다. 예

수의 반대자들은 예수가 죄인들과 어깨를 기대고 밥 먹는 일에서 기존 정치종교 체제를 부정하는 모습을 읽었다. 그들은 예수가 마련한 잔치 자리에 자신들이 함께하지 않았음을 스스로 잘 안다. 그들은 혼인 잔치 비유에서 그 잔치 초대에 응하지 않은 이들인 셈이다.

예수는 가장 좋은 다스림이 지금 이 땅에 시작되었다는 사실을 알리려고 이 마을 저 마을 돌아다녔다. 억눌린 이들은 그 소식을 기쁘게 받아들인다. 하지만 그것을 믿지 않거나 기분 나쁘게 듣는 이들이 여전히 많다. 이 비유가 말하듯이 많은 이들이 그 소식에 전혀 관심을 기울이지 않는다. "초대받은 사람들은 그 말을 들은 척도 하지 않고 저마다 제 갈 곳으로 떠나갔습니다. 한 사람은 자기 밭으로 가고 한 사람은 장사하러 갔습니다."^{마태22:5}

당대 정치종교 체제에 적응한 이들은 하나님 나라가 지금 시작되었음을 믿지 않는다. 그들은 오히려 하나님 나라가 미래 어느 시점에 올지를 애써 탐구한다. 이 때문에 그들은 억눌리고 따돌림받는 이들과 매일 잔치를 여는 예수의 활동을 하나님 나라의 활동으로 여기지 않는다. 그러면서도 그들은 낮고 억눌린 이가 예수의 해방 공동체에 참여하는 현상에서 자신들의 존재 기반이 흔들리고 있음을 느낀다.

임금의 잔치에 정식으로 초청된 손님들은 아무도 잔치 자리에 참석하지 않았다. 그러자 임금은 동네 골목 구석구석을 찾아가 가난한 이, 눈먼 이, 다리 저는 이, 착한 이, 못된 이를 "아무나 만나는 대로" "억지로라도 데려다가" 잔치 마당을 채웠다. 임금이 손님을 강제 동원하여 잔치 자리는 마침내 손님들로 가득 찼다. 이것은 하나님의 다스림이 행정력을 발휘하여 사람들을 그 다스림의 영역으로 사납게 밀어 넣고 있음을 달리 표현한 것이다.

혼인 잔치 비유 안에 흐뭇한 이야기만 있지는 않다. 하나님 나라가 사람들을 심판하는 장면도 나온다. 임금은 처음 초대에 응하지 않고 임금의 전령을 죽인 마을을 불사른다.마태22:7 예수의 하나님 나라 이야기에는 때때로 두 가지 다른 이야기가 나온다. 하나는 사람들을 해방의 공간으로 모아들이는 이야기다. 다른 하나는 사람들을 정의의 공간에 세워 그들을 가리는 이야기다. 사람을 가리는 심판 이야기는 너무 강렬해서 우리 머릿속에 이 이야기만 남고 사람들을 모으는 해방 이야기는 잊는다. 하지만 예수의 핵심 메시지는 해방 이야기에 담겼으며 심판 이야기는 핵심 메시지를 돋보이게 하는 배경일 뿐이다.

잔치를 베푼 임금이 손님들을 보려고 잔치식장에 들어온다. 임금이 식장에 들어왔을 때 그는 예복을 입지 않은 사람을 본다. 임금은 그 사람에게 "친구여"라고 부르며 부드럽게 질문한다. "친구여 어찌하여 결혼식에 맞는 예복을 입지 않고 여기 들어왔는가?"마태22:12 여기서 "예복"은 멋지고 예쁜 옷이 아니라 단지 자리에 맞는 깨끗한 옷을 뜻한다. 그는 임금의 물음에 아무 말도 못 한다.

이 이야기는 우리를 몹시 어리둥절하게 한다. 왜냐하면 잔치에 온 대부분 사람은 이제 막 거리에서 억지로 끌려왔기 때문이다. 따라서 아마도 행사 주최 측에서 잔치에 온 사람들에게 예복을 나눠준 것 같다. 예복을 갖춰 입지 못한 사람은 예복이 없어 예복을 '못' 입은 것이 아니다. 그는 거리에서 급히 오느라 예복을 갈아입을 시간이 없어 예복을 '못' 입은 것이 아니다. 아마도 그는 오히려 예식장 입구에서 나눠준 예복을 거부했고 그것을 '안' 입었다. 자리에 어울리는 옷을 갈아입지 않고 잔치 자리에 앉은 일은 임금과 다른 손님을 모욕하는 일이었다. 그는 잔치 밖으로 내쫓겼다.

    이 비유는 기쁜 소식과 기분 나쁜 소식이 섞여 있다. 어떤 사람은 기쁜 소식으로 듣고 어떤 사람은 기분 나쁜 소식으로 듣는다. 이 비유를 기쁜 소식으로 듣는 이는 이 비유 속에 담긴 하나님의 다스림을 지금 여기서 맛볼 수 있다. 예수와 함께 밥을 먹던 낮고 억눌리고 따돌림받던 이들은 하나님 나라에서 당당한 시민으로 대우받고 그 나라의 해방 활동에 기꺼이 참여한다. 이것이 이 비유를 기쁜 소식으로 받아들이는 이의 모습이다.

당대 정치종교 복합 체제의 상층부는 예수의 메시지와 활동을 기쁘게 받아들일 수 없었다. 예수의 이 비유를 나쁜 소식으로 듣는 이는 이 비유가 자기 권력의 기반과 기존 삶의 양식을 위협한다는 것을 알아챈다. 예수의 축하 잔치는 우리의 존재 기반을 위태롭게 하는 도전이다. 예수의 활동을 기분 나쁘게 받아들이는 이들은 가장 정의로운 다스림에 반기를 든다. '예복을 입지 않는 사람'은 바로 이런 이를 염두에 둔 표현이다. 우리의 실존, 삶의 양식, 정치종교 체제를 탈바꿈하지 않으면 우리 삶은 하나님 나라의 행정 조치들과 적대 관계에 놓일 것이다.

> 잔치 준비는 모두 마쳤고 초대장은 이미 그대에게 보냈습니다. 하지만 그대는 그 초대에 응하지 않았습니다! 그대는 가장 좋은 다스림이 지금 펼쳐진다는 소식을 기분 나쁜 소식으로 듣나요?

억지로 잔치 마당을 채우다

PART 2

기쁜 소식이 세상을 바꾸고 있다.

07

온갖, 차별 없이, 더 많이

후릿그물이 바다의 온갖 사물을 해변으로 끌어모으듯 가장 좋은 다스림은 세상의 모든 것을 해방의 자리로 끌어당깁니다. 이것은 그 다스림의 무한한 개방성을 보여줍니다. 그 다스림은 온갖 것을 품습니다.

임금의 잔치 자리는 착한 이와 못된 이를 가리지 않고 네거리와 골목과 산길에서 만난 아무 사람들로 채워졌다. 예수에 따르면 이 일은 하나님 나라가 일하는 방식이다. 왜 그 나라는 닥치는 대로 사람들을 모으며 모든 이를 조건 없이 환대하는가? 이것은 좋은 다스림과 그렇지 못한 다스림의 차이를 보여주는가?

예수의 개념에 따르면 가장 좋은 나라는 사람을 가장 넓게 받아들이고 가장 기쁘게 환대하는 나라다. 좁게 개방할수록 그것은 나쁜 나라거나 나쁜 체제다. 예수는 하나님 나라의 무한한 개방성을 그물로 온갖 것을 뭍으로 끌어올리는 일에 빗댄다.

> 하나님 나라는 바다에 그물을 던져 온갖 것을 잡아 올리는 일에 비길 수 있습니다. 그물이 가득 차면 어부들은 그물을 해변에 끌어 올려놓고 앉아 올라온 것들을 가립니다. 좋은 것은 그릇에 담고 나쁜 것은 내버립니다. 마태13:47-48

예수가 이 비유를 빌려 말하고자 하는 것이 잘 들리는가?

이 비유를 들으며 우리는 바다, 물고기, 그물을 떠올린다. 바다는 세상을, 바닷속 물고기는 사람을 뜻한다. 그물을 끌어 올리는 일은 하나님 나라의 행정력을 말한다. 그물로 물고기를 끌어 올리는 행위는 가난하고 억눌리고 따돌림받고 잃어버린 사람을 해방하는 행위를 뜻한다. 이 짧은 비유에 예수가 전하려는 기쁜 소식의 핵심이 담겼다. 그물이 물고기를 끌어모으듯 하나님 나라는 세상 속에서 사람을 모으고 해방하는 활동을 펼친다.

예수의 그물 비유에는 겉보기와 달리 더 놀라운 이야기가 담겼다. 신약성경에는 낱말 "그물"이 모두 13번 나온다. 하지만 이 모두가 같은 낱말은 아니다. 신약에 나오는 "그물"은 두 가지다. 하나는 그리스말로 "딕튀온"이고 다른 하나는 "사게네"다. "사게네"는 신약성경에 딱 한 번만 나오며 바로 이 그물 비유에만 나온다. 이것은 사게네가 매우 독특한 그물임을 말해준다.

예수는 매우 독특한 그물을 자신의 이야기에 끌어들였다. 그물 비유는 메시지 전달을 위해 예수 스스로가 정교하게 고안한 이야기다. 사게네는 바다나 강의 밑바닥을 쓸며 차별 없이 모든 것을 끌어올리는 그물이다. 우리말로 "후릿그물"이나 "쓰레그물" 또는 "훑이그물"이다. 비유에서 어부는 그물을 배 위로 끌어올리지 않고 해변 또는 강가에 끌어올린다. 예수의 이 비유에 나오는 그물에 가장 가까운 것은 후릿그물이다.

이 비유에서 "고기"나 "물고기"에 해당하는 낱말은 아예 나오지 않는다. 이 비유에 나오는 그물은 그냥 "온갖 것"을 끌어올릴 뿐이다. 실제로 후릿그물은 물고기뿐만 아니라 온갖 것을 끌어올린다. 비유에서 "좋은 것"과 "나쁜 것"은 '좋은 물고기'와 '나쁜 물고기'를 뜻하지 않는다. 그것은 '먹을 수 있는 것'과 '먹을 수 없는 것'을 뜻한다. 후릿그물에 걸려 올라오는 것에는 조개, 해초, 돌, 쓰레기도 있다. 이 비유의 앞부분은 다음과 같이 옮기는 것이 좋겠다.

> 하나님 나라는 바다에 후릿그물을 던져 온갖 것을 끌어올리는 일에 비길 수 있습니다. 후릿그물이 가득 차면 어부들은 그물을 해변에 끌어올려놓고 앉아 올라온 것들을 가릅니다. 먹을 수 있는 것은 그릇에 담고 먹을 수 없는 것은 내버립니다.^{마태13:47-48}

후릿그물로 먹을 수 있는 것뿐만 아니라 온갖 잡동사니까지 뭍으로 끌어올리는 일이 왜 하나님 나라의 방식과 비슷한가?

가장 좋은 나라에서 공권력은 억눌린 이에게 자유를 주고 가난하고 아픈 이를 보살핀다. 후릿그물 비유는 이 일을 '끌어올리는 일'에 빗댄다. 왜 하필이면 후릿그물을 써서 끌어올려야 하는가? 가장 좋은 나라는 가능한 최대의 보편복지를 펼친다. 그 나라의 혜택을 받는 것에는 제한이 없다. 그 나라는 온갖 것을 끌어올린다. 그 나라는 온갖 사람과 온갖 생명이 해방되길 바란다. 온갖 것이 본모습을 되찾길 바란다. 만물이 제각각 서로서로 가장 잘 어울리는 모습으로 되돌아가길 바란다.

이것은 예수가 왜 온갖 이와 어울려야 했는지를 잘 드러낸다. 예수는 죄인과 함께 어깨를 기대고 밥 먹는 일을 가장 좋은 나라의 통치 행위로 여겼다. 여기에 그 나라의 본모습이 드러난다. 그 나라가 지금 여기서 일하는 방식은 사람을 고르거나 갈래짓는 방식이 아니다. 예수와 함께 예수를 통해 이 땅에 들어온 가장 좋은 다스림은 계급과 등급과 신분을 떠나 온갖 것을 해방한다.

예수는 당대 사람과 전혀 다른 시각으로 하나님을 그린다. 물론 예수는 하나님을 곧바로 말하지 않고 에둘러 말한다. 예수는 하나님이 어떤 이인지 말하려고 만물을 해방하는 다스림을 줄곧 이야기할 뿐이다. 곧 해방이 있는 곳에 하나님이 있다. 하지만 인습 전통에 물든 기존 종교인은 오직 '의인'의 무리

속에서 하나님이 나타난다고 믿는다. 그들은 사람들이 의롭게 될 때 비로소 하나님의 다스림이 시작된다고 믿는다. 이 때문에 하나님이 이곳에 오시도록 그들은 열렬히 의인이 되려 애쓴다.

하지만 그들의 이러한 열정은 오히려 많은 사람을 '죄인'으로 만드는 결과를 낳았다. 그 열정은 정치종교 체제의 권력 욕망으로 쉽게 바뀌었다. 그들은 그 체제의 하층민을 늘림으로써 자기 신분을 높였다. 세금 징수원, 창녀, 백장, 무두장이, 목동, 노동자, 농민, 병자는 그 체제 아래서 더욱 억눌리고 더욱 가난해지고 더욱 따돌림받아야 했다.

이 때문에 인습 전통의 추종자들은 예수가 낮은 이와 어울리는 일을 하나님 나라가 이 땅에서 지금 펼쳐진다는 증거로 여기지 않았다. 더 또렷이 말해 그들은 그것을 볼 능력이 없었다. 오히려 그런 일들은 예수가 메시아가 아니라는 증거가 되었다. 기성 종교 권력자들은 예수가 낮은 이와 어울리는 일을 스캔들로 여겼다. 예수가 세례자 요한에게 한 말을 기억하라. "제가 그대에게 스캔들이 되지 않는다면 다행입니다. 제가 낮은 이에게 기쁜 소식을 전하고만 있다는 사실을 스캔들로 여기지 않는 분에게는 해방이 있을 것입니다."

들판에서 사람들의 뉘우침을 부르짖었던 세례자 요한은 헤로데 안티파스의 감옥에서 예수가 오실 그분인지 의심했다. 왜냐하면 예수는 '의인'이 아니라 '죄인'과 어울렸기 때문이다. 요한이 마음속에 품었던 하나님 나라는 예수가 그리는 나라와 달랐다. 로마제국을 향해 저항 운동을 펼쳤던 열혈 투쟁가들도 예수의 활동이 전혀 마음에 들지 않았다. 급진 경건 운동을 펼쳤던 에세네파는 죄인과 먹고 웃던 예수를 비판했을 것이다. 당시 거의 모든 정파와 종파의 관점에서 예수의 행위는 메시아다운 행위가 아니다.

후대 해석가들은 예수의 말 "후릿그물이 가득 차면 어부들은 그물을 해변에 끌어 올려놓고 앉아 올라온 것들을 가릅니다. 먹을 수 있는 것은 그릇에 담고 먹을 수 없는 것은 내버립니다"를 기존 종교의 관점에서 해석한다. 그들에게 이 말은 정의로운 심판이 사람들에게 이내 내려질 것이라는 경고다. 그들은 온갖 것을 잡아 올려 좋은 것과 나쁜 것을 고르는 모습에서 하나님 나라의 참모습을 찾는다. 또한 그들은 하나님 나라를 노아의 방주 비슷한 것으로 여긴다. 마찬가지로 오늘날 많은 사람은 하나님 나라를 하늘에 있는 장소로 이해한다. 그 장소는 예수가 다시 와서 세상을 심판한 뒤 구원받을 사람을 들어 올려 영원한 삶을 살게 하는 장소다.

하지만 예수의 후릿그물 비유에서 물고기를 끌어 올리는 장소는 배가 아니라 해변이다. 이 비유에서 배는 아예 나오지도 않는다. 예수는 하나님 나라가 '그물을 던져 물고기를 들어 올리는 배'와 같다고 말하지 않았다. 예수는 "하나님 나라는 바다에 후릿그물을 던져 온갖 것을 끌어올리는 일에 비길 수 있습니다"고 말했다. 하나님 나라는 방주와 같은 장소가 아니라 만물을 본디 자리로 끌어당기는 힘이다. 그 힘은 미래에 발휘된다기보다 지금 여기 이 땅에서 발휘된다.

　　　　혼인 잔치 비유에서 임금은 자신의 잔치 자리를 착한 이와 못된 이를 가리지 않고 아무나 네거리와 골목에서 만난 사람들로 닥치는 대로 채웠다. 하나님 나라는 모든 사람을 신성한 모습 곧 본모습으로 이끌며 모든 사람을 환대한다. 하나님 나라는 거기에 들어오는 이의 빈곤, 신체 결함, 흠결, 문맹을 따지지 않는다. 예수는 하나님 나라의 이러한 무한한 개방성을 후릿그물 비유에서 더욱 강렬히 표현한다. 후릿그물이 바다의 온갖 사물을 해변으로 끌어모으듯 하나님 나라는 세상의 모든 것을 해방의 자리로 끌어당긴다. 하나님의 이 행정은 미래에 예정된 행정이 아니다. 이 행정은 예수 자신과 함께 지금 벌어지는 행정이다.

　　　　후릿그물이 바다의 온갖 사물을 해변으로 끌어모으듯 가장 좋은 다스림은 세상의 모든 것을 해방의 자리로 끌어당깁니다. 이것은 그 다스림의 무한한 개방성을 보여줍니다. 그 다스림은 온갖 것을 품습니다.

08

남몰래, 어느덧, 반드시

기쁜 소식을 받아들이는 것은 농부가 땅의 힘을 믿듯이 가장 좋은 다스림이 자기 임무를 완수하리라 굳게 믿는 것입니다. 그러한 믿음으로 성장의 은밀함을 참아내는 것입니다. 이 땅을 낮은 이들이 마침내 차지하도록 마련해 놓은 사랑의 장소로 여기는 것입니다.

예수는 가장 좋은 나라가 지금 강력한 힘으로 사람들을 구원한다고 주장한다. 하지만 그는 아무런 무력도 쓰지 않으며 군대도 없고 무기도 없다. 그가 가진 것은 자신이 전하는 기쁜 소식 또는 좋은 소식뿐이다. 그는 죄인과 어깨를 맞대고 함께 밥을 먹는데 이것이 강력한 힘인가? 예수에 따르면 그 힘은 강하지만 겸손하고 은밀하다. 그 힘은 요란하지 않으며 사람들을 다치게 할 만큼 폭력을 동반하지 않는다. 그의 나라는 알찬 결실을 얻을 때까지 남몰래 자란다.

이를 말하려고 예수는 하나님 나라를 저절로 남몰래 자라는 이삭에 빗댄다.

> 하나님 나라는 어떤 사람이 땅에 씨를 뿌려 놓았을 때 일어나는 일에 비길 수 있습니다. 그가 밤에 자고 낮에 깨어 돌아다니는 동안에 그 씨에서 싹이 트고 자라지만 그는 어떻게 이 일이 일어나는지 모릅니다. 씨를 싹트게 하고 이삭을 패게 하고 이삭에서 알찬 낟알을 맺게 하는 것

> 은 땅입니다. 거둘 날이 와서 이삭이 여물면 농부가 낫을 대어 자릅니다. ^{마가4:26-29}

이 비유는 하나님의 다스림이 이 땅에 미치는 방식을 이야기한다.

어떤 사람이 땅에 씨를 뿌렸다. 그런 다음에 밤이 되어 잠들고 아침에 일어난다. 그러던 사이 그가 뿌린 씨앗은 싹이 트고 줄기가 돋아나 조금씩 자란다. 그가 싹이 얼마나 자랐는지 알지 못하는 사이에도 여전히 싹은 조금씩 자란다. 풀을 자라게 하는 것은 씨앗을 심은 사람이 아니라 땅 자체다. 그래서 씨를 뿌린 사람조차도 그 성장의 세부 과정을 모두 알지 못한다. 땅은 다른 이의 도움 없이 풀이 열매를 맺게 한다. 처음에는 싹이 돋고 그다음에 이삭이 패고 마침내 이삭에 알찬 낟알이 맺힌다. 열매가 익으면 씨를 뿌렸던 사람은 이윽고 낫을 댄다. 가장 좋은 다스림은 풀의 이러한 성장과 같다.

이 비유에서 중요한 것은 추수가 아니다. 중

요한 것은 씨앗이 뿌려졌고 뿌려진 씨앗이 몰래 자란다는 점이다. 이 비유는 은밀함을 강조하려고 씨를 뿌린 사람조차 그 성장의 과정을 알지 못한다고 말한다. 이것은 그 나라를 시작하게 한 이가 그 나라의 성장을 알지 못함을 뜻하지 않는다. 그것이 뜻하는 바는 많은 사람이 그 나라가 지금 여기 나타나 그 힘을 미친다는 사실을 인정하지 않더라도 여전히 그것은 힘차게 활동한다는 점이다. 씨앗은 열매를 맺기까지 밤낮으로 조금씩 자란다. 자라는 모습이 또렷이 보이지 않는다고 결국 열매 맺지 못할 것이라 예단해서는 안 된다. 이것이 이 비유의 고갱이다.

  예수는 자기 활동이 여러 반대에 부딪혔음에도 하나님 나라가 자기 임무를 완수하리라 굳게 믿는다. 그는 이 비유에 자신의 굳센 믿음을 담았다. 농부가 땅과 햇빛의 힘을 믿듯이 예수는 이 땅에 가득한 사랑의 힘을 믿는다. 땅은 성장의 배경이고 사랑의 무대다. 씨앗은 바로 이 사랑 안에서 조금씩 자란다. 땅이 저절로 열매를 맺게 하므로 씨앗은 이삭이 무르

익을 때까지 자란다. 하지만 이 말은 씨 뿌린 사람이 땅의 자발성만 믿고 씨앗이 자라도록 그냥 내버려 두라는 말이 아니다. 오히려 씨앗이 자라서 열매를 맺게 되고 마침내 추수를 맞이하게 된다는 사실을 믿으라는 말이다.

이 비유는 하나님 나라가 이미 시작되었음을 전제한다. 씨앗은 뿌려졌고 그것은 지금 이미 남몰래 자라는 중이다. 그 나라는 이미 시작하여 지금 최후의 열매를 맺기까지 자란다. 이 비유는 이것이 틀림없다는 점을 강조한다. 씨 뿌린 사람이 그 성장을 눈으로 지각하지 못하더라도 그는 씨앗에서 이삭이 팰 것을 굳게 믿는다. 예수의 마음이 약해져 그는 그 나라가 열매 없이 끝나리라 의심할 수도 있었다. 하지만 그는 세계에 스며든 무한한 사랑과 정의를 신뢰하였다. 그 나라는 반드시 만물을 해방할 것이며 우리를 가장 아름다운 모습에 이르게 할 것이다.

예수의 기쁜 소식을 받아들이는 것은 무엇을 뜻하는가? 그것은 농부가 땅과 햇빛의 힘을 믿듯이 그 나라의 힘을 믿는 것이다. 그것은 그 나라의 임무가 반드시 완수되리라 믿는 것이다. 해방하는 그 나라의 힘이 우리를 본디 모습에 이르게 함을 굳게 믿는 것이다. 그러한 믿음으로 성장의 은밀함을 참아내는 것이다. 우리가 지금 거주하는 이 땅을 해방의 공간으로 보는 것이다. 이 땅을 낮은 이들이 마침내 차지하도록 마련해 놓은 사랑의 장소로 여기는 것이다. 자기 자신을 이러한 땅에서 겸손하지만 싱싱하게 자라는 들꽃이라 생각하는 것이다.

> 기쁜 소식을 받아들이는 것은 농부가 땅의 힘을 믿듯이 가장 좋은 다스림이 자기 임무를 완수하리라 굳게 믿는 것입니다. 이 땅을 낮은 이들이 마침내 차지하도록 마련해 놓은 사랑의 장소로 여기는 것입니다.

09

세상을 온통 바꿀 것이다

매우 적은 누룩이 반죽을 온통 부풀리고 작은 씨앗이 새가 깃들 만큼 무성한 나무로 자랍니다. 마찬가지로 낮은 이로 시작하는 이 작은 나라도 모든 것을 해방하는 다스림으로 자랍니다.

예수는 자신을 가장 정의로운 다스림의 집행자로 여겼다. 하지만 그는 군대를 거느리지 않고 정부를 운영하는 관료 조직도 세우지 않는다. 그 대신 그는 기쁜 소식을 전하고 죄인과 어울린다. 이러한 나약한 통치 행위로 자기 나라가 만물을 해방하는 임무를 완수할 것이라 장담한다. 예수는 이 나라가 활동하는 방식을 그리려고 누룩 이야기를 만든다.

> 하나님 나라는 한 여자가 적은 누룩을 가루 서 말 안에 감추어 넣었을 때 일어나는 일에 비길 수 있습니다. 그렇게 하면 반죽이 마침내 온통 부풀어 오르게 됩니다.^{마태13:33}

이에 따르면 가장 좋은 나라는 밀가루 반죽을 온통 부풀리는 누룩처럼 활동한다.

한 여인이 밀가루 서 말을 반죽한다. 가루 서 말은 약 22리터 정도인데 그는 이렇게 많은 양의 가루로 무엇을 하려는 것일까? 이 정도의 양은 단순히

한 끼의 빵을 만들 양을 훨씬 넘어선다. 이것은 잔치를 베풀 만큼의 양이다. 이 여인은 가족의 저녁 밥상을 준비한다기보다 온 마을을 위한 잔치를 준비한다.

잔치를 준비하는 이 여자는 부푼 반죽을 얻으려고 반죽에 적은 양의 누룩을 넣었다. 그는 누룩이 반죽을 부풀리지 못하리라고 의심하지 않는다. 이는 마치 농부가 실패를 두려워하지 않고 씨를 뿌리는 것과 같다. 그는 누룩의 작용을 믿고 반죽이 부풀려질 때까지 기다린다. 온통 부푼 반죽을 얻기까지 그의 시간에 불안이 끼어들 틈이 없다. 그의 이런 마음가짐은 가장 좋은 나라를 지금 이 땅에 연 예수의 마음가짐이다.

예수의 반대자들은 예수가 시작한 나라가 사람들을 해방할 만큼의 힘을 갖지 못한다고 조롱한다. 예수는 이런 조롱과 의심을 비극으로 그리지 않고 오히려 비밀로 그린다. 예수는 여인이 누룩을 반죽에 넣는 일을 "감추었다"고 표현한다. 부풀기 전의 반죽만 보는 사람은 반죽에 누룩을 이미 넣었다는 사실을 모를 수 있다. 그 사실을 모르는 이는 반죽이 부풀어 오르는 비밀을 깨닫지 못할 것이다. 하지만 누룩을 반죽에 넣었다면 누룩의 작용은 이미 시작되었다. 누룩을 넣었다는 사실을 아는 이는 언젠가 온통 부풀어 오른 누룩을 얻게 되리라 믿을 것이다. 이 믿음이 믿음직한 만큼 예수는 자기 나라가 세상을 온통 뒤바꿀 것임을 굳게 믿는다.

누룩은 시작이자 원인이고 부풀어 오른 반죽은 그 결과다. 누룩을 넣은 뒤 반죽이 부풀어 오르는 것은 서로 이어진 한 과정이다. 원인과 결과는 이어 있고 시작과 끝은 둘이 아니다. 우리는 누룩이 넣어진 때와 반죽이 온통 부풀어 오른 때 사이에 산다. 그 사이 시간이 우리의 현재다. 이 현재에 우리가 믿어야 하는 것은 우리가 마침내 온통 부푼 반죽을 얻을 것이라는 사실이다.

그 많은 양의 반죽을 부풀리는 것은 매우 적은 양의 누룩이다. 누룩이 없었다면 반죽의 부풀려짐도 없다. 누룩이 아무리 보잘것없더라도 누룩은 반죽을 온통 부풀린다. 적은 누룩과 함께 시작한 것이 마침내 온통 부풀어 오름으로 끝맺는다. 적은 양의 누룩이 반죽을 온통 부풀리듯이 작은 이가 세계를 온통 바꿀 것이다. 가장 좋은 다스림도 작은 이를 통해 작은 이들과 함께 작고 겸손하게 그 힘을 미친다. 반죽이 부풀어 오를 때까지 누룩이 반죽 안에서 줄곧 작용하듯이 그 다스림도 만물이 화해하고 해방될 때까지 지금 이 땅에서 끊임없이 작용한다.

    예수는 누룩 이야기에서 작고 겸손한 시작과 위대한 결말을 대비한다. 겨자씨 이야기에서는 그 대비를 더욱 두드러지게 한다.

> 우리가 하나님 나라를 어떻게 비길까요? 또는 무슨 이야기로 그것을 나타낼까요? 땅에 겨자씨를 심었을 때 일어나는 일에 비길 수 있습니다. 이것은 세상에 있는 어떤 씨보다도 작지만 일단 심기고 나면 어떤 풀보다 크게 자랍니다. 심지어 새들이 그 그늘에 둥지를 틀 만큼 넉넉히 큰 가지를

뺀습니다. ^{마가4:30-32}

하나님 나라는 어떤 사람이 겨자씨를 가져다가 자기 밭에 심었을 때 일어나는 일에 비길 수 있습니다. 겨자씨는 어떤 씨보다 더 작지만 자라면 어떤 풀보다 더 커져 나무가 됩니다. 심지어 새들이 와서 가지에 둥지를 틀기도 합니다. ^{마태13:31-32}

겨자씨는 아주 작은 씨앗이지만 나중에 크게 자라 심지어 새들이 와서 둥지를 튼다. 여기서 새들이 둥지를 트는 큰 나무 이미지는 특히 중요하다. 구약의 시편과 예언서에서 이것은 여러 민족을 품는 큰 나라를 상징한다. 적은 누룩이 만인을 위한 잔치를 열게 하듯 작은 씨앗이 모든 민족을 위한 둥지를 틀게 한다.

    누룩을 밀가루 반죽에 넣었고 씨를 땅에 뿌렸다. 이 적은 누룩과 이 작은 씨앗은 예수의 보잘것없는 활동 곧 그의 나라를 뜻한다. 적은 누룩이 큰 반죽을 온통 부풀리고 작은 씨앗이 새들이 깃들 만큼 큰 나무로 자란다. 마찬가지로 만물을 해방하는 그 나라는 작고 겸손하게 시작하여 지금 힘차게 자란다. 예수의 이 작은 나라도 세상을 온통 바꿀 것이다. 마침내 만물을 해방할 것이다.

가장 좋은 다스림을 믿는 일은 이 보잘것없는 현재가 곧 거대한 혁명 과정임을 믿는 일이다. 여기 이곳에서 지금 해방이 벌어진다. 이를 잘 아는 사람은 누룩을 넣은 여인과 씨를 뿌린 농부처럼 현재를 누린다. 그는 마지막 모습을 잘 알기에 해방의 삶을 살아갈 일용할 용기를 지금 얻으며 이미 새로운 세상을 산다.

> 반죽이 부풀어 오를 때까지 누룩은 반죽 안에서 지금 작용합니다. 마찬가지로 만물을 해방하는 그 다스림도 만물이 화해하고 해방될 때까지 지금 이 땅에서 작용합니다. 작은 씨앗이 새가 깃들 만큼 무성한 나무로 자랍니다. 마찬가지로 낮은 이로 시작하는 이 작은 나라도 모든 것을

해방하는 다스림으로 자랍니다.

세상을 온통 바꿀 것이다

10

내 손닿을 곳에 있다

가장 좋은 다스림은 그대가 가닿을 만한 곳에 이미 와 있습니다. 그대가 그것을 누릴지 말지는 그대 선택에 달려 있습니다.

바리새파 사람들은 율법 근본주의자로서 모세오경에 나오는 절기들을 지키도록 애쓴다. 이 절기를 날에 맞게 잘 지키려고 그날을 정확히 예측해야 한다. 이를 예측하려고 사용한 방법은 천체 관측이다. 정확한 시간 예측을 중시했던 그들은 예수에게 "하나님 나라가 언제 오느냐"고 묻는다. 예수는 다음과 같이 답한다.

> 하나님 나라는 눈으로 볼 수 있는 모습으로 오지 않습니다. "보아라! 여기에 있다" 또는 "보아라! 저기에 있다" 하고 말할 수도 없습니다. 하나님 나라는 그대 안에 있습니다.^{누가17:20-21}

하나님 나라가 눈으로 볼 수 있는 모습으로 오지 않는다는 말은 그 나라가 오는 시기를 천체 관측으로 예측할 수 없다는 말이다.

하나님 나라는 특정 지역에 내려오는 방식으로 이 땅에 오는 것도 아니다. 만일 어떤 사람이 "그 나라가 여기에 있다"나 "저기에 있다"고 주장한다면 그것은 하나님 나라에 대해 올바르게 말하는 방식이 아니다. 하나님 나라의 도래는 천문 탐구뿐만 아니라 지리 탐구를 통해서도 알려질 수 없다. 그 나라는 특정 시점 특정 지점에 오는 것이 아니다.

예수는 하나님 나라가 언제 어디에 오는지에 관한 통상의 시간 예측과 장소 추측에 반대하면서 그 나라에 관한 매우 놀랄 만한 주장을 한다. 하나님 나라는 '그대 안에' 있다! 여기서 '그대'는 예수의 말을 지금 듣는 바리새파를 뜻하며 앞으로 예수의 말씀을 읽을 모든 사람을 뜻한다. 하나님 나라는 우리 안에 있다. 이 말은 정확히 무슨 뜻인가?

첫째 뜻풀이는 그 나라가 우리 안에 있다는 말을 그것이 우리 마음속에 있다는 말로 풀이하는 것이다. 이 뜻풀이에 따르면 그 나라가 바깥 시공간 세계에 있지 않고 우리 마음속에 있기에 그 나라는 눈으로 볼 수 있는 방식으로 오지 않는다. 하지만 이런 뜻풀이가 옳다면 하나님 나라는 단지 우리가 마음속으로 평안을 얻는 일에 그치게 될 것이다. 사실 이런 뜻풀이는 그 유래가 매우 깊다. 특히 앎을 얻음으로써 구원에 이를 수 있다는 영지주의 문헌에서 이런 해석을 더 찾아볼 수 있다.

옥스퍼드 연구팀은 1896년 이집트 카이로에서 남쪽으로 160km 떨어진 도시 옥시링쿠스에서 파피루스들을 발견했다. 기원전 250년 무렵에 만들어진 것부터 기원후 700년에 만들어진 것까지 엄청난 양이었다. 이 가운데 다음과 같은 말씀이 있다. "하늘나라는 그대 안에 있으며 자기 자신을 아는 이는 누구나 그것을 찾을 것입니다." "자기 자신을 아는 이"를 '자기 마음을 잘 들여다보는 이' 또는 '자신을 성찰하는 이'로 이해한다면 "그대 안"은 '그대 마음속'으로 이해할 만하다.

옥시링쿠스에서 찾은 파피루스들 가운데는 도마복음도 있다. 도마복음 어록 3에 비슷한 구절이 나온다.

> 만일 그대를 이끄는 사람이 그대에게 "보라 그 다스림이 하늘에 있다"고 말한다면 하늘의 새들이 그대보다 먼저 가 있을 것입니다. 만일 그가 그대에게 "보라 그것이 바다에 있다"라고 말한다면 물고기들이 그대보다 먼저 가 있을 것입니다. 오히려 그 다스림은 그대 안팎에 있습니다. 그대가 그대 자신을 알 때 그대가 살아계신 아버지의 아들딸임을 그대가 깨달을 것입니다. 하지만 만일 그대가 그대 자신을 모른다면 그대는 모자란 채 살 것이고 그대는 그 모자람 자체입니다.

이 구절에 따르면 자기 마음을 아는 사람은 누구나 그 나라를 발견하며 자기를 아는 자는 자신이 하나님의 사람임을 알게 된다.

자기 인식을 통해 마음의 평안에 이르는 것을 하나님 나라에 들어가는 것으로 해석하는 것은 예수의 다른 말씀과 잘 어울리지 않는다. 하지만 "그대 안에"를 '그대의 선택 범위 안에' 또는 '그대가 가닿을 수 있는 곳에'로 읽는 것은 예수의 다른 말씀과 잘 어울린다. 문헌학자의 연구에 따르면 "안에"를 이런 식으로 뜻풀이하는 것은 1세기 말부터 3세기 말까지 여러 파피루스 사본들과 그리스 문헌들에 나오는 쓰임새와 잘 맞다.

하나님의 다스림은 언제 올지 모를 아주 먼 미래에 실현되는 다스림이 아니다. 그 다스림은 가닿을 수 없을 만큼 저 밖에 멀리 놓인 다스림이 아니다. 그 다스림은 우리가 마음만 먹으면 언제나 가닿을 수 있는 곳에 지금 와있다. 그 다스림은 우리 손닿을 만한 곳에 있으며 지금 우리의 선택 범위 안에 있다. 그 다스림은 예수의 활동을 통해 이미 지금 여기 우리 가까이 와 있다.

그 나라의 시민이 될지 말지는 이제 나의 선택 범위 안에 있다. 나는 이토록 내 곁에 가까이 온 가장 좋은 다스림을 지금 알아차리고 그 다스림을 누리는가? 지금 내 삶을 활짝 열어 그 나라의 해방 활동을 받아들이는가? 예수가 낮은 사람과 어깨를 기대고 어울릴 때 그 일을 조롱하지 않고 함께 웃고 기뻐하는가? 나는 예수의 그 소박한 행위를 가장 좋은 나라의 가장 강력한 통치 행위로 여기는가?

> 가장 좋은 다스림이 언제 어디에서 벌어질지 알아맞히려고 애쓰지 마십시오. 그 다스림은 그런 식으로 벌어지지 않습니다. 그 다스림은 그대가 가닿을 만한 곳에 이미 와 있습니다. 그대가 그것을 누릴지 말지는 그대 선택에 달려 있습니다.

내 손닿을 곳에 있다

11

내 삶을 흔들어 놓다

저기 먼 과거에, 저기 먼 미래에, 저기 먼 곳에 있는 해방이 그대 앞에 지금 와 있습니다. 지금 여기 나타난 해방은 그대 삶을 바꾸는 해방이며 새로운 삶을 살 용기를 주는 해방입니다. 그대는 이 이야기를 듣고 있습니까?

가장 좋은 나라의 시민이 되는 일이 나의 선택 범위 안에 있다면 그것을 선택하는 데 내가 치러야 하는 것은 없는가? 만일 하나님 나라의 시민권이 다른 것과 견줄 수 없을 정도로 값지다면 나는 내 모든 것을 바쳐야 그것을 얻을 수 있지 않을까? 예수는 가장 좋은 나라에 들어가는 일을 이와 비슷하게 이야기한 것 같다.

> 하나님 나라는 마치 어떤 사람이 밭에 숨겨진 보물을 찾았을 때 일어나는 일에 비길 수 있습니다. 그 사람은 그것을 제자리에 묻고 기뻐하면서 집에 돌아가서는 가진 것을 다 팔아서 그 밭을 삽니다. 또 하나님 나라는 가게 주인이 좋은 진주를 구할 때 일어나는 일에 비길 수 있습니다. 그가 매우 값진 진주 하나를 찾으면 집에 돌아가서는 가진 것을 다 팔아서 그 진주를 삽니다. 마태13:44-46

안타깝게도 이 비유를 대충 읽는 이들은 예수의 생각을 잘못 이해한다.

남의 밭에서 농사일만 할 뿐인 가난한 품꾼이 밭에서 어느 날 보화를 만난다. 그것은 그가 감히 가지리라 상상할 수 없을 만큼 값지다. 품꾼은 그 보화가 자신이 지금 가진 모든 것보다 값지다고 생각한다. 그는 보화를 얻으려고 가진 것을 다 팔아 그 밭을 통째로 산다. 그 보화는 모든 것을 바쳐야 얻을 수 있는 무엇이 아니다. 오히려 그 보화는 모든 것을 바치게 한다. 보화의 가치가 모든 것을 포기하도록 품꾼을 부추긴 셈이다.

진주 장사꾼은 자신이 감히 가지리라 상상할 수 없을 만큼 귀한 진주를 만난다. 그 진주는 다른 장사꾼도 쉽게 손에 넣을 수 없을 만큼 값지다. 이 진주의 실제 가치는 모든 것을 바치도록 그 장사꾼을 부추긴다. 발견된 진주는 모든 것을 바쳐야 얻을 수 있는 무엇이 아니다. 오히려 그것은 모든 것을 바치도록 발견한 사람의 마음을 움직인다.

농부는 품삯을 받으며 근근이 살아간다. 그는 차근차근 돈을 모아 차츰 안정된 삶을 얻고 싶다. 어느 날 갑자기 보화가 나타나자 그에게 새로운 가능성과 새로운 세상이 열린다. 이 보화 때문에 그는 예전에 가졌던 계획을 접고 그의 모든 것을 처분한다. 보화는 그가 예전에 할 수 없었던 행동을 하게 한다. 그는 이 보화의 힘으로 새로운 미래를 열어간다. 새로운 가치를 찾은 사람은 그 가치 덕분에 자기 삶을 완전히 바꾼다.

예수의 말씀에서 "보화"와 "진주"는 미래에 어쩌면 얻을지도 모를 엄청난 행운을 상징하지 않는다. 그것은 당첨될 가능성이 지극히 작지만 당첨만 되면 일확천금이 되는 복권을 상징하지 않는다. 그 농부와 그 장사꾼의 선택은 복권을 사려고 자기의 모든 것을 바치는 일과 다르다. 그것은 혹시 오를지도 모를 주식에 빚을 내서라도 투자하는 일이 아니다. 그들은 실제로 지금 보화와 진주를 발견한다. 보화와 진주는 그것을 발견하자마자 그것을 손에 넣을 수 있는 실물이다. 그것의 발견 자체가 확신과 기쁨이다. 발견한 이의 삶을 바꾸는 힘의 원천은 미래 가능성이 아니라 현재 가치다. 따라서 예수의 말씀에서 "보화"와 "진주"는 지금 당장 우리 삶을 바꿀 만한 힘을 지닌 진짜 가치를 상징한다.

보화와 진주의 발견은 발견자의 현재 삶을 전복한다. 가장 좋은 다스림은 바로 이러한 일에 비길 수 있다. "하나님 나라는 가게 주인이 좋은 진주를 구할 때 일어나는 일에 비길 수 있습니다." 가장 좋은 다스림은 지금 우리 삶을 바꾸는 힘으로 우리에게 다가온다. 그 다스림의 가치는 그것을 알아본 사람의 삶을 지금 바꾼다. 그 다스림의 현재 가치가 지금 우리에게 행동할 힘을 준다. 이것이 바로 그 다스림이 지금 여기서 우리에게 힘을 미치는 방식이다. 가장 좋은 다스림은 기존 인습에 따라 움직이는 우리의 현재 삶을 되돌아보게 한다. 나아가 그것은 이기심에 바탕을 둔 우리 미래 설계를 뒤집는다.

가장 좋은 나라의 시민권은 모든 것을 바치지

않으면 얻지 못하는 몹시 비싼 고가품이 아니다. 예수는 그 나라의 시민이 되려면 모든 것을 헌납해야 한다고 우리에게 강요하지 않는다. 나아가 그 나라는 복종을 요구하는 폭력으로서 그 모습을 드러내지 않는다. 품꾼이 보화를 발견한 일처럼 그 나라는 순전히 선물로서 지금 이곳에 나타난다. 가장 좋은 나라의 시민이 되는 일은 다스림을 강제로 받아들이는 피지배자가 되는 것을 뜻하지 않는다. 그것은 가장 아름다운 삶의 방식을 스스로 알아채고 스스로 자기 삶을 바꾸는 일이다.

인습과 요행으로 얻은 기득권을 숭배하는 이들이 이 세상에는 많다. 그들은 가장 정의로운 다스림이 지금 여기 강림하여 해방의 시공간을 창출할 때 그것을 거부한다. 그들은 예수와 더불어 지금 이곳에 벌어지는 해방의 사건을 알아보지 못한다. 그 대신 그는 기득권을 유지하려고 제국의 통치자가 만들어 놓은 이념과 통념을 맹신한다. 하지만 가장 좋은 다스림을 크나큰 선물로 받아들이는 이들은 인습과 처세술에 따라 살던 기존 삶을 뒤바꾸고 그 다스림 안으로 들어간다.

예수는 보화와 진주 이야기를 들려주기 전에 "들을 귀 있는 자는 들으십시오!"^마태13:43라 외친다. 이 말은 이렇게 옮길 수 있다. "그대는 이 이야기를 듣고 있습니까? 정말로 듣고 있습니까?"

> 그대가 가장 좋은 다스림의 가치를 알아본다면 그 가치는 그대에게 새로운 가능성, 새로운 세상, 새로운 미래를 열어줍니다. 저기 먼 과거에, 저기 먼 미래에, 저기 먼 곳에 있는 해방이 그대 앞에 지금 와 있습니다. 지금 여기 나타난 해방은 그대 삶을 바꾸는 해방이며 새로운 삶을 살 용기를 주는 해방입니다. 그대는 이 이야기를 듣고 있습니까? 정말로 듣고 있습니까?

내 삶을 흔들어 놓다

12

작은 실패는 내 삶의 배경이다

씨앗이 더러는 싹이 나지 못하고 더러는 이내 시들고 더러는 이삭을 맺지 못할 수 있습니다. 씨 뿌리는 이는 이를 잘 알지만 그래도 씨앗을 뿌립니다. 가장 좋은 나라도 이와 같습니다. 그 나라는 장애와 반대에 부딪히겠지만 마침내 백배의 열매를 맺을 것입니다.

예수는 거대한 로마제국의 식민지에서 작은 나라를 시작한다. 그의 나라는 가장 낮은 행정 수반과 가장 낮은 시민으로 시작한다. 이 나라는 세계를 온통 변모시키는 꿈을 꾼다. 그것은 모든 사람과 모든 생명을 해방하고 화해하는 꿈이다. 하지만 그의 나라는 기존 나라의 통치 방식과 잘 어울릴 수 없고 기존 종교 전통과도 차츰 부딪힌다.

현재를 사는 것은 실패하며 사는 것이다. 때때로 이 세상은 속수무책으로 썩어가고 불의와 폭력으로 가득 찬다. 예수는 그의 꿈을 이룰 수 있을까? 예수는 실패를 생각하지 않을까? 그는 차츰 거칠어지는 반대를 두려워하지 않을까? 그는 자신의 바람이 그가 발 딛고 있는 이 세상에서 꺾이지 않으리라 자신할까? 예수는 이렇게 대답한다.

들어보십시오. 씨 뿌리는 사람이 씨를 뿌리러 나갔습니다. 그가 씨를 뿌리는데 더러는 길가에 떨어져 새들이 와서 쪼아 먹었습니다. 또 더러는

> 흙이 많지 않은 자갈밭에 떨어져 흙이 깊지 않아 싹은 곧 났지만 해가 뜨자 시들고 뿌리가 없어 말라 버렸습니다. 또 더러는 가시덤불 속에 떨어져 가시덤불이 자라 그 기운을 막아 버려서 이삭을 맺지 못하였습니다. 하지만 몇몇은 좋은 땅에 떨어져 싹이 나고 자라서 뿌렸던 씨앗의 삼십 배, 육십 배, 심지어 백배의 이삭을 맺었습니다. ^{마가4:3-8}

예수의 이 비유에는 어두운 이야기가 담겨 있다. 그는 안타까운 실패를 예고한 셈이다.

예수는 하나님의 다스림이 이 땅에 와서 지금 힘차게 미친다고 외쳤다. 그 다스림이 여기에 이미 와 있다면 지금 여기에서 일어나는 수많은 불화와 불의는 무엇을 뜻하는가? 그 다스림은 과연 이 땅에 지금 힘을 미치고 있기나 한가? 하나님의 통치권은 왜 정의롭지 못한 일들을 가만히 놓아둘까?

씨 뿌리는 사람 이야기는 열매 맺지 못하는

수많은 씨앗을 염려하는 이야기다. 이 때문에 몇몇 해석자는 이 이야기의 전체 분위기를 슬프고 어둡게 이해한다. 어떤 이는 이 이야기를 "진리와 사랑의 참극"으로 요약한다. 다른 이는 이 이야기에 그 나라가 세속 영역에서 결국 실패하고 만다는 비관주의가 담겼다고 주장한다. 이 현실 세계는 결국 예수의 나라가 꽃피고 열매 맺기에는 알맞지 않은 것이 아닐까?

예수는 무슨 의도로 씨 뿌리는 사람을 이야기할까? 그는 자기 활동을 반대하는 움직임이 차츰 커지고 있음을 알았다. 마가복음 2장 7절에서 3장 6절까지는 위기가 차츰 고조되듯 그 반대 움직임을 하나하나 보고한다. 예수가 중풍 들린 이를 고치며 "그대 죄가 용서받았습니다"고 말하자 율법학자는 속으로 "하나님을 모독하는구나. 하나님 한 분밖에 누가 죄를 용서할 수 있는가" 하고 말한다. 예수가 죄인과 한자리에서 밥을 먹는 것을 보고 "저 사람은 왜 세리 및 죄인과 어울려서 밥을 먹나?" 하고 못마땅하게 여긴다. 세례자 요한의 제자들과 바리새파 사람들은 금식

하며 경건한 생활을 하는데 예수는 먹고 마신다고 비판한다. 바리새파는 예수의 제자들이 안식일에 일하는 것을 보고 그것이 율법 위반이라고 지적한다. 그들은 안식일에 예수가 아픈 이를 고치는지 감시한다. 이윽고 그들은 예수를 없애려고 친정부 인사들과 모의한다.

결국 예수는 이 반대와 적대를 피하려고 유대교 회당을 떠나 주로 호숫가와 산에서 기쁜 소식을 전한다. 그리고 그는 열두 제자를 임명한다. 하지만 마가복음 3장 22절이 되면 예루살렘에서 온 율법학자들이 예수가 악령의 힘으로 일한다고 고소하는 장면이 나온다. 예수의 어머니와 형제까지 예수가 지금 하는 일을 전혀 이해하지 못한다. 예수의 친척은 예수가 미쳤다고 생각한다. 이런 상황에서 예수는 호숫가에 모인 무리에게 씨 뿌리는 사람 비유를 이야기한다.

이 비유도 하나님 나라가 무엇인지 알려주는 비유다. 예수는 이 이야기 또한 기쁜 소식으로 들려지기를 바란다. 달리 말해 예수는 희망의 소식을 전하려는 의도를 갖고 씨 뿌리는 사람을 이야기한다. 이 이야기 안에는 씨앗들을 더러 잃더라도 잃은 씨앗들보다 더 많은 열매를 맺으리라는 희망이 담겼다. 이 이야기는 현실의 열악한 상황을 이기고 가장 좋은 다스림이 이 땅을 결국에는 완전히 바꿀 것임을 확신한다. 그 다스림은 반동에 부딪히겠지만 이 모든 반동에도 마침내 삼십 배, 육십 배, 백배의 열매를 거둘 것이다.

예수가 연 작은 나라가 해방 활동을 할 때 직면하는 여러 장애물과 반대는 이미 예견된 현상이다. 가시덤불, 엉겅퀴, 새들, 자갈, 찌는 더위가 농사의 배경이듯 세상의 장애와 반대는 그 나라의 행정 수반이 부딪혀야 하는 배경이다. 예수는 차츰 강하게 다가오는 저항에 아랑곳하지 않고 자기 일을 차분히 진행한다. 가장 좋은 다스림은 더 강력한 폭력으로 폭력과 싸우지 않는다. 그 다스림은 더 강력한 사랑, 자비, 충서로 사악한 폭력을 약화한다. 마치 서 말 반죽을 온통 부풀리는 적은 누룩처럼 그 다스림은 세계에 스며들어 전체 세계를 부드럽게 바꾼다.

씨 뿌리는 사람 이야기에는 예수의 현실주의가 담겨 있다. 그의 현실주의는 잦은 저항과 장애를 현실의 무대로 받아들인다. 이러한 현실 인식 아래서 가장 정의로운 다스림이 해방의 임무를 완수할 때까지 이 땅에서 지금도 활발히 작용함을 의심하지 않는다. 예수와 더불어 지금 이곳 우리 삶에 미치는 그 다스림은 현실을 당당히 마주할 힘으로서 우리에게 다가온다. 수많은 적의와 장애는 그 나라의 통치력이 펼쳐지는 배경에 지나지 않는다. 예수는 마치 씨를 뿌리는 사람처럼 자신의 다스림이 마침내 백배의 열매를 맺을 것이라 굳게 믿으며 기쁜 소식을 전한다.

> 씨앗이 더러는 길가에 떨어져 새들이 와서 쪼아 먹을 수 있습니다. 더러는 흙이 많지 않은 자갈밭에 떨어져 싹이 이내 시들고 뿌리가 없어서 말라 버릴 수 있습니다. 더러는 가시덤불 속

에 떨어져 이삭을 맺지도 못할 수 있습니다. 씨 뿌리는 이는 이를 잘 알지만 그래도 씨앗을 뿌립니다. 왜냐하면 몇몇 씨앗은 자라 백배의 이삭을 맺기 때문입니다. 가장 좋은 나라도 이와 같습니다. 그 나라도 장애와 반대에 부딪히겠지만 마침내 백배의 열매를 맺을 것입니다. 그 나라의 시민은 그 장애와 반대를 삶의 배경과 무대로 받아들입니다.

PART 3

해방된 삶은 어떤 삶인가?

13

받은 사랑이 내 삶을 이끈다

가장 좋은 나라의 시민은 해방되었고 자유롭습니다. 하지만 그는 그 나라의 해방 활동을 방해할 자유까지 갖지는 못합니다. 그는 무한한 빚을 이미 탕감받은 이의 삶을 삽니다. 그는 다른 사람의 삶을 얽매는 채권자 노릇을 하지 않습니다.

예수는 가장 좋은 나라가 지금 이 땅에서 펼쳐진다는 소식을 낮은 이들에게 전한다. 그 나라는 이미 차려진 잔치와 같다. 하지만 잔치에 빈자리가 많아 닥치는 대로 손님을 모은다. 그 나라는 내 손닿을 만한 곳에 있다. 그 나라의 시민이 되는 일은 내 선택 범위 안에 있다. 만일 내가 그 나라의 시민이 된다면 지금의 내 삶은 어떻게 얼마큼 달라지는가? 예수는 시민으로서 지금 여기를 사는 일이 무엇과 같은지 마태복음 18장에서 이야기한다.

> 다음 이야기는 하나님 나라가 무엇과 같은지를 그대에게 보여줄 것입니다. 하루는 임금이 자기 신하들을 불러 자신에게 빚진 것을 셈할 것을 요구하기로 했습니다.

이어 나오는 이야기가 "하나님 나라가 무엇과 같은지"를 보여주는 이야기임을 잊지 말라.
    이 이야기에는 아라비안나이트에나 나올 법

한 굉장한 과장이 들어 있다. 한 관리가 국가에 빚을 졌는데 그 규모는 실로 엄청나다. 그 채무액은 자그마치 만 달란트다. 한 달란트가 오늘날 가치로 얼마큼인지 여러 견해가 있는데 아마도 10억 원을 넘길 것 같다. 이렇게 보면 만 달란트는 수십조 원이다. 예수의 이야기에 나오는 관리는 아마도 지방정부 통치자로 보인다. 당시 로마 식민지 팔레스타인은 여러 지방정부로 이뤄졌다. 한 연구에 따르면 한 지방정부가 일 년에 다루는 돈은 겨우 수 달란트에 지나지 않는다. 이 점에서 만 달란트의 빚은 너무 지나친 과장이다.

'만'이라는 숫자는 예수 당시 일상에서 쓰는 가장 큰 숫자고 '달란트'는 그 당시 가장 큰 통화 단위다. 예수는 가장 큰 숫자와 가장 큰 통화 단위를 이음으로써 그 채무액이 거의 무한대라고 말한다. 이 때문에 그 빚진 이가 자신의 빚을 갚는 일은 불가능하다. 예수의 이 이야기를 듣는 사람은 저절로 '저 사람은 저 빚에서 절대 벗어날 수 없을 거야' 하고 속으로 생각할 것이다.

 하지만 놀랍게도 빚진 관리는 임금에게 갚을 수 있는 말미를 달라고 한다. 말미가 있다면 빚진 관리는 자기 빚을 다 갚을 수 있을까? 그 관리가 만 달란트를 마련할 길이 전혀 없음을 고려한다면 관리의 애걸도 지나친 과장이다. 만 달란트의 이자는 연간 수백 달란트에 이를 것이다. 연간 예산이 수 달란트밖에 되지 않는 지방정부의 통치자가 매년 수백 달란트를 어떻게 마련하겠는가! 하지만 그 관리는 임금에게 말한다. "참아 주십시오. 다 갚겠습니다." 이는 매우 뻔뻔한 거짓말이자 턱도 없는 과장이다.

 예수는 또 다른 과장으로 이야기를 이어간다. 임금은 아무 조건 없이 그 빚을 탕감한다. "임금은 그 관리를 가엽게 여겨 그를 놓아주고 빚을 없애 주었습니다."마태18:27 이것은 도무지 일어날 수 없는 일이다. 만 달란트의 빚을 탕감하는 일은 국가에 만 달란트의 손실이 일어남을 뜻한다. 예수는 이 과장을 통해 무엇을 말하고 싶은가? 곧 국가의 그 통치자는 자신의 관리에게 무한한 사랑을 베풀었다.

예수의 이야기는 이제 절정에 이른다. 앞의 과장보다 더 심한 과장이 그 뒤를 잇는다. 빚을 탕감받은 다음 그 관리가 드러낸 짓은 우리를 놀라게 한다.

> 그 관리가 나가자마자 우연히 그의 동료 관리를 만났습니다. 그는 그 관리에게 100일 노동 수당만큼 빚지고 있습니다. 그는 친구의 멱살을 잡고 목을 조르며 말했습니다. "내게 빚진 것을 갚아!" 마태18:28

관리는 빚을 탕감받고 나가는 길에 동료 관리를 만나 멱살을 잡고 자기 돈을 내놓으라 한다. 그 빚은 보통 노동자의 세 달 월급 정도밖에 되지 않는다.

조금만 애쓰면 그 친구는 빚진 돈을 어렵지 않게 갚을 수 있다. 친구는 말미를 달라고 애원한다. 그 애원은 관리가 임금에게 했던 말과 똑같다. "참아 주게. 내가 갚겠네." 하지만 그 관리는 친구의 요청을 듣지 않는다. 그는 무자비하게 친구를 옥에 가둔다. "그는 애원을 들어주기는커녕 오히려 그 친구를 옥에 집어넣고 빚진 돈을 갚을 때까지 갇혀 있게 했습니다."마태18:30 무한한 자비를 입은 이가 자기 친구에게는 손톱만큼의 자비도 없다. 우리는 이 관리의 무자비를 이해할 수 없다.

그다음 이야기는 결코 과장이 아니다. 이 사실은 임금의 귀에 들어갔고 당연하게 그 관리가 입은 해방과 자유는 무효다. 예수는 임금의 이 당연한 처사를 이야기 끝에 놓음으로써 과장으로 가득 찬 이야기를 매우 진지하게 만든다. 이제 예수의 이야기는 단순한 과장 이상이다. 이 너무나 당연한 결말 안에 가장 좋은 다스림이 무엇과 같은지가 담겼다. 왜냐하면 가장 정의로운 다스림은 "임금이 자기 관리들을 불러 자신에게 빚진 것을 셈할 때 일어나는 일"과 같기 때문이다.

예수의 이 이야기에서 주인공은 임금이 아니라 빚을 탕감받은 관리다. 예수의 이야기를 듣는 우리는 이 주인공의 태도를 눈여겨본다. 우리는 이 주인공이 우리 자신을 염두에 둔 인물임을 깨닫는다. 현실의 나는 그 관리와 아예 다른 인물이라 생각한다면 예수의 이야기를 게으르게 듣는 것이다. 예수의 이야기를 진지하게 듣는 이는 그 관리 자리에 지금 이곳에서 살아가는 나 자신을 대입한다. 우리는 이제 그 관리의 처지가 되어 이야기에 참여한다.

가장 좋은 나라가 지금 무한한 자비와 사랑으로 해방 활동을 펼친다. 이를 기쁘게 받아들인 이에게는 당장 그 나라의 시민권이 주어진다. 그는 밭에서 우연히 보화를 발견한 농부처럼 그 시민권을 얻는다. 그는 해방과 자유를 무상으로 받는다. 그 가치는 이루 말할 수 없을 만큼 크다. 결국 그 나라 시민은 자신이 무한한 사랑으로 해방되었음을 믿는 이다. 다시 말해 그는 "나는 무한한 사랑을 입었다"를 믿는다. 이를 믿지 않는 이는 아직 그 나라의 시민이 아니다.

나는 친구를 만난다. 그 친구는 나에게 빚이 있다. 나는 주체로서, 주인으로서, 소유자로서, 채권자로서, 지배자로서 타자 앞에 서 있다. 나의 현재는 이런 일을 겪는 시간이다. 친구는 나에게 잘못을 저질렀다. 내가 친구의 잘못을 용서하지 않기로 지금 선택할 수 있다. 나는 그에게 앙갚음하기로 지금 선택할 수 있다. 나의 이 자유로운 선택은 현재 내가 살아가는 방식이다. 예수는 나의 이 현재 삶을 되돌아보라고 말한다.

나의 선택과 나의 행위에 앞서 나는 무한한 사랑을 받았다는 사실이 놓여 있다. 먼저 사랑이 있었고 그다음에 내 자유로운 행위가 있다. 이것이 그 나라의 시민이 늘 맞이하는 현재다. 내 행위가 먼저 있고 그 행위 결과에 따라 사랑받고 해방된 것이 아니다. 나는 먼저 무한히 사랑받았고 그다음 나는 주어진 현재 상황에 맞게 자유롭게 선택한다. 사랑받기 이전의 내 행위는 우리 이야기에서 중요하지 않다.

그 나라의 시민으로 사는 삶은 곧 그 나라의 통치 체제를 받아들이는 삶이다. 하나님 나라의 통치 방식을 받아들이는 삶은 사랑이 이끄는 삶이다. 그 나라 시민의 삶은 사랑받으려고 애쓰는 삶이 아니다. 그는 앞으로 구원을 받을 수 있을지 없을지를 의심하지 않는다. 그는 자신이 해방될 수 있을지 없을지 걱정하지 않는다. 그는 미래의 심판을 기다리거나 두려워하는 삶을 살지 않는다. 오히려 자신에게 조건 없이 무한히 입혀진 사랑과 해방을 감지하고 이를 즐기며 산다. 그의 삶은 이미 해방과 구원이 이뤄진 삶이다. 그의 삶은 무한한 사랑을 이미 받은 사람의 삶이다.

만일 내가 이미 무한한 사랑으로 해방된 사람임을 깨닫는다면 나는 수십만 년 노동 수당을 이미 탕감받은 관리와 같은 처지에 놓인다. 우리는 수십만 년 노동 수당을 탕감받은 관리가 고작 100일 노동 수당을 빚진 친구를 협박하고 옥에 가두는 일이 매우 파렴치한 일이라는 데 공감한다. 바로 이런 공감을 바탕으로 내 삶을 되돌아봐야 한다. 따라서 만일 나 자신을 수십만 년 노동 수당을 이미 탕감받은 관리로 여긴다면 나는 채권자로서 타자 앞에 서지 않을 것이다. 이 점에서 그 나라 시민은 다른 사람의 삶을 얽매는 채권자 노릇을 하지 않는다.

가장 좋은 나라는 무한한 자비와 해방으로 나를 자유롭게 한다. 그 나라의 시민이 되는 일은 해방과 사랑 아래서 자유롭게 사는 일이다. 하지만 그 자유는 해방과 사랑의 한계 안에 머물러야 한다. 따라서 현재 나의 자유로운 행위는 내가 그 해방을 자각하는지 자각하지 못하는지를 알려주는 시험지다. 나의 자유는 그 나라의 해방 활동을 부정하고 방해하는 데까지 나아가서는 안 된다. 수십만 년 노동 수당을 탕감받았지만 고작 100일 노동 수당을 빚진 친구를 협박하고 옥에 가둔 그 관리는 자신이 입은 사랑 자체를 부정했다. 나는 이미 해방되고 사랑받았다. 하지만 그렇다고 내가 다른 이를 억압하고 무자비할 권리를 갖는 것은 아니다. 우리는 우리 해방을 무한한 사랑으로 주어진 선물이 아니라 우리 노력으로 거머쥔 포상으로 여기곤 한다. 그렇게 여길 때 우리는 다른 이에게 무자비할 권리를 갖는다고 착각한다.

인습 전통에서 현재는 마지막 심판을 두려워하는 시간이다. 이 시간에 얽매임, 정결 예식, 고행으로 우리 삶을 채워야 한다. 하지만 예수에게 현재는 가장 좋은 다스림이 무한한 사랑으로 다가오는 때다. 현재는 내 허물을 무한히 탕감받는 때다. 현재는 무한한 사랑과 해방을 경험하는 때다. 따라서 나의 현재를 특징짓는 것은 사랑과 해방이다. 내 삶을 이끄는 것은 미래의 심판이 아니라 현재의 사랑이다.

가장 좋은 나라의 시민으로서 나는 사랑과 해방의 사건이 내 삶에 일어나도록 나를 개방한다. 나는 사랑 때문에 행위하고 해방 때문에 행위한다.

> 현재는 무한한 사랑을 경험하는 때입니다. 현재는 무한한 해방이 있는 때입니다. 가장 좋은 나라의 시민은 그 해방과 사랑의 사건이 자신의 현재 행위를 이끌게 합니다. 그는 해방되었고 자유롭습니다. 하지만 그는 그 나라의 해방 활동을 방해할 자유까지 갖지는 못합니다. 그는

무한한 빚을 이미 탕감받은 이의 삶을 삽니다.
그는 다른 사람의 삶을 얽매는 채권자 노릇을
하지 않습니다.

14

경쟁보다는 사랑을

가장 좋은 나라의 시민은 해방되었고 자유롭습니다. 하지만 그는 그 나라의 해방 활동을 방해할 자유까지 갖지는 못합니다. 그는 무한한 빚을 이미 탕감받은 이의 삶을 삽니다. 그는 다른 사람의 삶을 얽매는 채권자 노릇을 하지 않습니다.

자신이 무한한 사랑으로 해방되었다고 생각하는 사람은 곧장 그 나라의 시민이 된다. 무한한 사랑을 인식한 이는 그 사랑의 관점에서 현재를 살아간다. 그는 가장 정의로운 나라가 사람을 사랑하고 해방하는 방식으로 자기 삶을 산다. 예수는 그 나라의 그 방식을 매우 엉뚱한 고용인의 모습으로 그린다.

> 하나님 나라는 자기 포도원에서 일할 일꾼을 고용하려고 이른 아침에 포도원을 나선 어떤 고용인에 비길 수 있습니다.^{마태20:1}

이 고용인은 아침 9시 장터에서 빈둥거리는 사람들을 날품팔이꾼으로 고용한다. 이 고용인은 12시에도 장터에 나가 일꾼을 고용하고 오후 3시에도 일꾼을 고용한다.

 이 고용인은 심지어 하루 일을 마치기 한 시간 전 오후 5시에도 사람들을 찾아 나선다.

> 마침내 오후 다섯 시쯤에 고용인이 또 장터에 다시 가보니 아직도 빈둥거리고 있는 사람들이 있어 그들에게 물었습니다. "왜 그대들은 온종일 이렇게 하는 일 없이 빈둥거리고 있습니까?" 그들이 그에게 이렇게 대답했습니다. "아무도 우리를 일꾼으로 쓰지 않기 때문입니다.마태20:6-7

이 야릇한 고용인은 이 사람들도 자신의 품꾼으로 고용한다.

이 고용인은 오후 5시에 고용되어 그때부터 일한 노동자에게 놀랍게도 하루치 품삯을 준다. 아침 9시에 고용되어 그때부터 온종일 일한 노동자들은 더 많은 품삯을 받을 것이라 기대한다. 하지만 그들에게도 똑같이 하루치 품삯이 주어진다. 그들은 고용인에게 불평한다.

> 당신은 막판에 와서 한 시간밖에 일하지 않은 저 사람들을 온종일 뙤약볕 밑에서 수고한 우리

와 똑같이 대우하시는군요. 마태20:12

이들의 불평은 정당한 것일까? "온종일 뙤약볕 밑에서 수고한" 사람과 "막판에 와서 한 시간밖에 일하지 않은" 사람 사이에 차이를 없애는 것은 정의로운가? 둘을 똑같이 대우하는 고용인의 품삯 지불 방식은 공평한가? 예수는 다수 노동자의 불평을 자아낸 고용인의 이러한 방식이 가장 정의로운 나라의 통치 방식이라 말한다. 노동자들 사이에 분란을 일으키고 그들의 연대를 깨뜨리는 것처럼 보이는 저런 방식이 어떻게 가장 정의로울 수가 있는가?

예수의 이 이야기를 또렷이 이해하려면 당시의 노동시장 상황을 잘 이해해야 한다. 대부분 노동자는 기본 생계도 어려울 만큼 만성 실업 상태에 있었다. 이들의 실업은 그들이 게으르거나 무능하기 때문이 아니다. 그들은 말한다. "아무도 우리를 일꾼으로 쓰지 않습니다." 그들은 대부분 날품으로 하루하루 겨우 살아갔고 심지어 그 날품조차도 구하기 어려

왔다.

예수의 이야기에서 아침 9시에 고용된 노동자는 그 지역에서 통용되는 통상 품삯으로 계약한다. 고용인은 "적당한 품삯을 주겠소"라고 약속한다. 여기서 "적당한"은 "합당한", "상당한", "공정한", "응분의"로 달리 쓸 수 있다. 정오 12시, 오후 3시, 오후 5시에 고용된 노동자는 약정된 품삯 없이 일을 시작한다. 이들이 통상의 하루치 품삯을 받으리라고는 기대할 수 없다. 당시 관례에 따르면 다음 날의 고용을 보장하는 조건으로 당일 품삯을 주지 않는다. 보통의 고용인은 정오 12시와 오후 3시에 고용된 노동자에게 대폭 삭감된 품삯을 주고, 오후 5시에 고용된 노동자는 다음 날 고용을 약속하고 오늘 품삯은 주지 않는다. 하지만 예수의 이야기에서 고용인은 이들 모두에게 하루치 품삯을 준다.

한 시간만 일한 노동자가 그날 품삯을 받지 않는 것이 과연 정의롭고 공평할까? 고용인은 자신에게 불평하는 노동자에게 이렇게 답한다. "내가 후한 것이 당신 눈에 거슬립니까?"^마태20:15 사실 온종일 일한 노동자는 자신이 "온종일 뙤약볕 밑에서 수고한 것"만 생각했지 한 시간만 일한 노동자의 처지를 생각하지는 못했다. 오후 5시부터 일한 노동자는 단순히 한 시간만 일한 노동자가 아니라 오후 5시까지 고용되지 못했던 실직자였다. 나중에 온 노동자는 온종일 장터에서 일거리가 없어 한숨만 내쉬었다. 그들은 일하지 않은 것이 아니라 일하지 못했다. 고용인은 이런 노동자들의 딱한 사정을 고려하여 그들에게 사랑을 베풀었다.

오후 5시까지 고용되지 못했던 그 실직자에게 품삯을 적게 주거나 아예 주지 않는 것이 정의롭다고 생각하는 것은 곧 일거리를 얻지 못해 온종일 노심초사했던 그에게 일용할 양식을 살 돈을 주지 않는 것이 정의롭다고 생각하는 것이다. 그 고용인이 온종일 일한 사람과 한 시간 일한 사람에게 똑같은 임금을 준 것은 부당한 노동 착취를 뜻하지 않는다. 그것은 일용계약직 노동자의 심각한 실업 상태를 구제하는 것을 뜻한다.

　　일을 많이 한 노동자가 임금의 공정성을 요구한 일은 일을 적게 하고도 똑같은 임금을 받은 노동자를 질투하는 일이다. 그 요구는 늦게 고용된 이에게 준 사랑을 철회하라는 요구다. 일을 많이 한 노동자가 그렇게 요구할 권리가 있다고 믿은 까닭은 자신의 고용이 사랑이 아니라 자기 노력과 실력으로 얻었다고 믿기 때문이다. 자신의 고용이 노력과 실력으로 얻은 상품이면 그가 그렇게 요구할 권리가 있을지도 모르겠다. 자기 위상이 노력, 실력, 경쟁을 바탕으로 세워졌다고 믿는 이들은 타자의 위상을 낮추려고 손쉽게 공정과 정의를 들먹인다. 공정과 정의를 내세운 불평은 이처럼 내가 얻은 사랑뿐만 아니라 다른 이가 얻을 사랑까지도 막는다.

　　일을 많이 한 그 노동자처럼 나는 공정성을 핑계로 때때로 타자에게 무자비하다. 내가 딱한 처지에 놓일수록 나는 타자와 연대감을 느끼지 못한다. 나는 내가 처한 나쁜 처지를 극복하려고 나 나름대로 노력한다. 이 노력의 가치는 인정받아 마땅하다. 하지만 나의 안정을 확보하기 위한 생존 투쟁과 노력 자체에 너무 큰 가치를 부여하면 해방과 사랑은 내 삶을 이끄는 원리에서 아예 밀려난다. 이로써 나는 타자를 사랑할 까닭을 잃으며 나는 타자와 연대할 필요를 느끼지 못한다.

    나는 내 삶의 안정을 위해 인습과 처세술에 따라 다른 이와 경쟁한다. 나는 생존 경쟁으로 현재의 지위를 얻었고 이 지위는 나의 승리와 타자의 패배에 바탕을 둔다. 오로지 경쟁만 중요하기에 내 삶의 원칙을 해방과 사랑에 두지 않는다. 나아가 나는 다른 이가 받을 사랑과 해방까지 가로막는다. 인습에 따른 경쟁 원칙은 나에게 속삭인다. 타자의 가난함은 그가 게으른 데서 왔기에 나는 가난한 자와 연대할 필요가 없다고. 타자의 약함은 그가 어리석은 데서 왔기에 나는 약한 자와 연대할 필요가 없다고. 타자의 억눌림은 그가 불순한 데서 왔기에 나는 억눌린 자와 연대할 필요가 없다고.

'온종일 뙤약볕 밑에서 수고한' 사람은 왜 '막판에 와서 한 시간밖에 일하지 않은' 사람과 연대감을 느낄 수 없었을까? 그는 가장 정의로운 나라가 작동하는 방식을 받아들이지 않았다. 그는 정의롭지 못한 정치가 펼쳐지는 지금 이곳에서는 오직 생존 투쟁만이 자기 존재를 보존하는 길이라고 믿었을 뿐이다. 이 잘못된 믿음 때문에 그는 그 나라가 지금 이 땅에서 펼치는 해방 활동을 거스르게 되었다.

가장 정의로운 자리에서는 사랑의 원리만이 우리 삶을 이끈다. 가장 정의로운 나라에서 시민은 사랑의 원칙으로 선택하고 행위한다. 이처럼 정의와 사랑은 늘 함께 간다. 이 때문에 정의가 없는 곳에서는 사랑도 없고 연대도 없다. 정의롭지 못한 자리에서는 무자비와 경쟁의 원칙만이 우리 삶을 이끈다.

예수는 가장 정의로운 나라의 행정 수반을 장터에 나가 일자리를 얻지 못해 서성이는 사람을 모두 품꾼으로 쓰는 고용인으로 그린다. 그는 심지어 오후 5시에 구직자를 고용하여 온종일 일한 자와 똑같이 대우한다. 그는 경쟁에 바탕을 두고 사람을 만나지 않는다. 그는 오직 사랑에 바탕을 두고 사람을 만난다. 그 나라의 시민으로서 우리는 그 나라의 통치 방식을 받아들인다. 우리는 오직 사랑의 자세로 살아간다. 우리는 사랑의 마음으로 바로 옆에 있는 타자와 연대한다. 그가 먼저 왔든 나중에 왔든, 그가 노력을 많이 했든 적게 했든, 그가 이미 얻은 권리가 많든 없든, 그가 경쟁에서 이겼든 졌든 상관없이.

> 온종일 뙤약볕 밑에서 수고한 그대는 막판에 와서 한 시간밖에 일하지 않은 이들과 달리 특별한 대우를 받아야 한다고 생각합니까? 하지만 그것은 가장 정의로운 나라의 시민이 생각하는 방식이 아닙니다. 그 나라의 시민은 타인의 실패가 아니라 무한한 사랑을 자기 실존의 바탕으로 삼습니다. 그는 사랑의 마음으로 바로 옆에 있는 타자와 연대합니다.

15

여성에게서 빼앗지 못하는 것

지금 이곳에 사는 우리의 본디 삶은 남자로서 또는 여자로서 사는 것이 아닙니다. 우리는 우리가 사랑하는 존재며 사랑받는 존재임을 믿습니다. 이 믿음이 우리를 해방합니다.

예수의 기쁜 소식은 인습 전통과 부딪힐 수밖에 없다. 당대의 전통을 고안하는 사람은 주로 사내였다. 그 전통은 사내 스승을 거쳐 사내 제자에게 전수된다. 전통은 사내가 이끌고 사내가 강화한다. 계집은 전통을 고안하지 못했고 전수하지도 못했다. 나아가 계집은 전통의 숨은 뜻을 교육받지 못했고 다만 사내들이 만든 전통을 무조건 따라야 했다. 계집은 전통의 내막과 속사정을 또렷이 알려고 애써서도 안 된다. 1세기의 한 율법 해설서에 따르면 계집에게 성경 말씀을 가르치는 일은 음행을 가르치는 것과 같다.

사내들이 만들고 내려주고 이어받는 인습 전통은 남성중심주의를 담을 수밖에 없다. 이런 전통에서 계집은 사내들의 우월성을 받아들이고 사내들이 자신을 다스리는 일을 마땅한 일로 여겨야 한다. 사내들은 계집으로 태어나지 않은 것에 하느님께 고맙게 여기고 찬양한다. 유대교에서는 열 명이 모여야 기도회를 열 수 있는데 계집은 이 정족수에 들지도 않는다. 이것은 계집들이 백 명이 모여도 예배 모임을 열 수 없음을 뜻한다. 계집은 자기 혼자 힘으로는 하느님 가까이 갈 수조차 없었다.

교육의 주체와 대상에서 제외된 계집들은 공공장소에서 자기 목소리를 낼 수 없다. 그들은 외출할 때 얼굴을 가려야 하고 사내에게 먼저 말을 건네서도 안 된다. 사회의 유력한 사내가 계집과 대화하는 일은 삼가야 한다. 영향력 있는 사내가 '사내보다 열등한' 계집을 동등한 인격으로 대우하는 일은 사내의 권위를 떨어뜨리는 일이다. 사내 지식인들은 계집은 너무나도 어리석고 시시한 문제에만 신경 쓰기에 그와 대화하는 일은 무가치하다고 생각했다. 여기서 더 나아가 계집은 욕망으로 가득 찬 요부여서 사내의 영혼을 더럽힐 위험이 있다고 보았다. 이것이 예수 당시의 인습 전통이다.

이런 인습이 매우 강하게 형성된 사회에서 예수는 여자들과 대화한다. 유대 사람들은 남자든 여자든 특히 사마리아 사람과 말을 섞지 않는다. 하지만 예수는 사마리아 사람과 말을 주고받는데 그 사람은 심지어 여자다. "물 좀 주십시오." 물을 마시는 일은 같은 잔을 쓰는 일이다. 여자는 말한다. "당신은 유대 사람인데 어떻게 사마리아 여자인 나에게 물을 달라고 하십니까? 유대 사람과 사마리아 사람은 같은 잔을 쓰지 않는데 말입니다."^{요한4:9} 여기서 "같은 잔을 쓰지 않는다"는 '상종하지 않는다'를 뜻한다.

이렇게 말을 섞은 뒤 예수와 사마리아 여인은 마치 선생과 제자처럼 논쟁한다. 둘은 영생, 예배, 메시아를 이야기한다. 그 모습을 지켜본 예수의 제자들은 깜짝 놀란다. "이 무렵 제자들이 돌아와서 예수께서 한 여자와 말씀을 나누는 것을 보고 놀랐다."^{요한4:27} 예수는 여자와 남자 사이에 위계질서가 있다고 생각하지 않았다. 예수는 여자에게도 똑같이 가르침을 전하고 그들의 물음에 응답한다. 예수는 당시 가르침의 주체와 대상에서 빠진 여성을 예수 공동체 안으로 끌어들였다.

가르침과 고침을 받은 여인 요안나와 수산나는 예수를 따라다니며 그의 운동을 재정 후원했다.누가8:3 예수의 성평등 가르침은 나중에 예수 공동체에서 여성 대표자를 낳았다. 남성과 여성이 엄격히 구분된 사회에서 예수 공동체는 여자와 남자가 한 공동체를 이루어 함께 돌아다녔다. 하지만 이 모습은 남성문화 옹호자에게 공격의 빌미가 되었다.

사도행전 18장에는 프리스킬라브리스길라와 아퀼라아굴라가 나온다. 이들 부부는 유대인 아폴로스아볼로를 자기 집으로 불러 하나님의 '도'를 설명한다. 아폴로스는 나중에 유명한 교회 지도자가 된다. 한편 사도행전 18장 18절과 26절, 로마서 16장 3절, 디모데후서 4장 19절에서 프리스킬라와 아퀼라는 늘 함께 거명된다. 이들이 거명될 때마다 거명 순서가 바뀌지 않는다. 유일한 예외는 고린도전서 16장 19절이다.

관례에 따르면 가장이 먼저 거론되기에 프리스킬라와 아퀼라 가운데서 가장은 프리스킬라다. 프리스킬라는 여자인데 결국 이 그리스도인 부부의 가장은 여자인 셈이다. 신약성경의 사본을 만드는 몇몇 남성 필사가는 신약성경의 그 기록이 오류라고 판단

했다. 그들은 부부를 거명할 때 여자를 먼저 거명하는 것을 못마땅하게 여겼다. 그들은 원본을 고쳐 "아퀼라와 프리스킬라"로 필사했다. 이것은 수정이 아니라 왜곡이다. 그들은 인습에 따른 남녀의 위계질서를 유지하려고 남자를 언제나 여자보다 먼저 거명하려 했다. 하지만 초기 예수 공동체는 그러한 인습을 인정하지 않았다.

인습 전통이 예수 공동체에서 벌어진 일을 왜곡한 다른 사례가 있다. 골로새서 4장 15절에는 한 예수 공동체의 대표로 보이는 눔페Νύμφα가 나온다. "라오디케아에 있는 분들과 특히 눔페와 그의 집에 모이는 교회에 문안해 주십시오." 후대의 몇몇 남성 필사가는 교회의 대표자가 여자라는 사실을 언짢게 여겼다. 그들은 이 구절에서 여성형 이름 "눔페"를 남성형 이름 "눔페스"로 고쳤다. 인습에 물든 후대 남성들은 예수 공동체의 전통을 왜곡하여 전수했다. 인습 전통이 예수의 가르침을 잠식하여 여자는 예수 공동체의 중심부에서도 차츰 밀려났다.

예수 당시에 병든 여자는 특히 천대받기 일쑤였다. 레위기에는 일부 짐승과 곰팡이뿐만 아니라 성병에 걸린 남자 성기의 고름, 그의 정액, 악성 피부 고름, 나아가 부인병 때문에 생긴 하혈까지도 불결하게 여겼다. 이것은 보건위생이 발달하지 않았던 고대사회에서 청결을 장려하려는 동기에서 비롯되었다. 하지만 단순한 생리든 질병이든 여자의 하혈을 부정하게 여긴 일은 여자의 고통 위에 모욕까지 얹는 일이었다. 이것은 당시 남성 중심 문화의 한 모습이다.

로마 사상가 플리니우스는 그의 학술 서적에서 하혈하는 여인을 다음과 같이 묘사한다.

> 하혈하는 여자가 가까이 오면 발효하기도 전에 과즙은 시어지고, 정원에 있는 나무는 시든다. 그런 여자가 올라갔던 나무는 열매가 떨어진다. 청동이나 심지어 쇠까지도 이내 녹슬며 공기에서도 불쾌한 냄새가 난다.

이것은 당시의 '과학'이었다. 이 말도 안 되는 과학은 당시 사회에서 부인병을 앓는 여인이 어떤 대우를 받았는지를 잘 보여준다.

마가복음 5장에는 12년 동안 부인병을 겪는 여인이 나온다. 마침 그 여인 근처에 예수가 다른 사람을 고치려고 걸어가는 중이다. 그 끔찍한 병에서 벗어나기를 몹시 바랐던 그는 예수의 옷자락을 몰래 만진다. 예수는 자신을 '더럽힌' 이 여인에게 화를 내야 할 것 같다. 레위기 15장에 따르면 이 경우 예수는 옷을 빨아 부정한 기운을 없애야 한다. 실제로 예수는 자기 옷자락을 만진 사람을 무리 가운데 찾는다. 하지만 예수는 그에게 저주를 퍼부으려고 그를 찾은 것이 아니다. 오히려 그를 칭찬하기 위해서다. 로마의 그 지식인은 예수의 이 축복을 이해할 수 없을 것이다.

예수는 그가 여자든 남자든 그의 해방과 평안을 바란다. 당연히 하혈하는 여자도 해방과 평안을 누릴 자격이 있다. 예수는 자기 옷자락을 허락 없이 만진 그에게서 그 어떤 불결함도 느끼지 않는다. 예수가 그에게서 본 것은 그가 본디 가진 존귀다. 예수는 존엄을 향한 그의 의지를 칭찬한다.

> 여인이시여 그대 믿음 때문에 그대가 지금 나았습니다. 안심하고 돌아가십시오. 나아서 이제 더는 아프지 않기를 바랍니다.^{마가5:34}

그가 가진 믿음은 무엇일까? 그것은 자신도 해방되고 사랑받을 자격이 있다는 믿음이다. 그것은 해방과 사랑이 자신에게도 내려질 수 있다는 믿음이다.

그의 믿음은 곧 해방하고 사랑하는 힘이 지금 이곳에 미친다는 믿음이기도 하다. 자신이 해방과 구원에 이르고 안심과 건강에 이를 수 있다는 믿음은 가장 좋은 나라의 시민이 갖는 믿음이다. 그 여인은 이미 그 나라의 시민이 된 채 예수를 만난 셈이다. 그는 예수가 당대 인습과 관례에 따라 자신을 평가하지 않으리라 생각했다. 그의 이 생각은 남성 중심 문화를 거역하는 힘이다. 그는 남자들이 만들고 전수하고 강화하는 당대의 인습에 저항했다. 해방과 사랑을 향한 그의 열망은 그 인습에 저항하는 힘이었다. 당대의 지식인과 종교인은 미신에 사로잡혀 병든 여인을 더욱 아프게 했다. 하지만 예수는 남성에게 따돌림받고 억압받는 여성의 아픔을 고치는 데도 주저하지 않았다. 예수는 여성을 해방하는 일도 가장 정의로운 나라의 통치 행위로 여겼다.

사람은 단순히 아프지 않은 것만으로 충만해지는 존재가 아니다. 이것은 여성도 마찬가지다. 건강한 여인 마르타는 예수를 자기 집으로 초대한다. 그는 예수를 대접하려고 이리저리 바쁘게 움직인다. 그는 우리가 보통 생각하는 여성의 역할에 충실하다. 하지만 마르타의 동생 마리아는 귀한 손님을 대접하는 일을 제쳐두고 예수와 대화만 나눈다. 마르타는 왜 예수가 마리아를 나무라지 않는지 여쭙는다. "제 동생이 저 혼자 일하게 두는 것을 아무렇지 않게 생각하십니까? 가서 거들어 주라고 제 동생에게 말해

주십시오."누가10:41

하지만 예수는 '여성의 역할'에 충실한 마르타를 부드럽게 나무란다. 그러고는 예수는 버릇없이 남자와 대화하는 마리아를 오히려 칭찬한다.

> 마르타여 마르타여 그대는 그처럼 많은 일로 염려하며 들떠 있습니다. 하지만 필요한 일은 오직 하나뿐입니다. 마리아는 가장 좋은 것을 골랐고 아무도 그것을 그에게서 빼앗지 못할 것입니다.누가10:41-42

예수는 마르타에게 말한다. 진실로 우리에게 필요한 것은 오직 하나뿐이다. 마리아는 모든 것 가운데 가장 좋은 것을 골랐다. 그러니 아무도 그것을 마리아에게서 빼앗아서는 안 된다. 마리아가 고른 '가장 좋은 것'은 무엇일까?

남자가 가장 좋은 것을 독점하는 것은 옳지 않다. 여자더라도 가장 좋은 것을 고를 권리가 있다.

어느 임금도 어느 종교인도 어느 과학자도 여자가 그것을 누리지 못하게끔 방해할 수 없다. 각자 삶에서 자기에게 가장 좋은 것이 있다. 예수에게 가장 좋은 일은 사랑하고 사랑받는 일이다. 지금 이곳에 사는 우리의 본디 삶은 남자로서 또는 여자로서 사는 것이 아니다. 우리는 해방된 이로서 지금 이곳에 존재한다. 우리는 사랑하고 사랑받는 이로 살아간다.

이를 잘 보여준 사람이 있다. 바리새파 사람 시몬은 예수를 자기 집에 초대한다. 예수가 그의 집에서 비스듬히 기대앉아 밥을 먹을 때다. 한 '동네여자'가 예수의 등 뒤에 와서 그에게 향수 기름을 바른다. 누가7:37 사람들이 그 여자를 "죄인"으로 부르는 것으로 보아 그는 창녀인 듯하다. 그는 눈물로 예수의 발을 적시고 머리카락으로 발을 닦는다. 그는 예수의 발에 입을 맞춘 뒤 기름을 바른다. 율법주의자 시몬은 이를 모두 지켜본다. 그는 그 여인이 추악하고 불결하다는 점을 예수가 모른다는 사실을 속으로 조롱한다.

하지만 예수는 경건하고 의로운 시몬보다 죄 많은 그 여인이 자기를 더 많이 사랑한다고 말한다. 예수는 그 여자에게서 불결과 허물을 보지 않고 오히려 사랑을 본다. 사랑은 불결과 허물보다 강하다. 사랑은 경건과 율법보다 중요하다. 그 여인은 자신이 사랑하는 존재며 사랑받을 수 있는 존재임을 믿는다. 이로써 그는 그 나라의 시민이 될 자격을 얻는다. "그는 남보다 많은 허물을 용서받았습니다. 그것은 그가 남보다 많이 사랑하였기 때문입니다."누가7:47 예수는 그에게 말한다. "그대 믿음 때문에 그대는 지금 구원받았습니다. 편안히 가십시오."누가7:50

> 지금 이곳에 사는 우리의 본디 삶은 남자로서 또는 여자로서 사는 것이 아닙니다. 남자든 여자든 필요한 일은 오직 하나뿐입니다. 그것은 사랑입니다. 아무도 그것을 우리에게서 빼앗지 못할 것입니다. 우리는 우리가 사랑하는 존재며 사랑받는 존재임을 믿습니다. 이 믿음이 우리를

해방합니다. 이 믿음으로 우리는 가장 좋은 나라의 시민이 될 자격을 얻습니다.

16

나는 공존을 두려워하지 않는다

가장 좋은 나라는 좋은 이와 나쁜 이를 가려 나쁜 이를 없애는 데 자기 힘을 쓰지 않습니다. 그 나라는 모든 이에게 해방의 자리를 마지막까지 열어둡니다. 그 나라는 모든 이가 참삶을 살기 바랍니다.

예수는 가장 좋은 나라가 지금 이 땅에 펼쳐진다는 소식을 자신의 말과 삶으로 억눌린 이들에게 전한다. 그의 나라는 이제 인습 전통에 따라 세워진 나라들과 부딪힐 수밖에 없다. 지금 이 땅은 그 나라의 시민과 제국의 시민이 함께 살아가는 곳이다. 가장 정의로운 나라의 행정 수반은 왜 로마 제국과 헤로데 괴뢰정권 및 그들의 앞잡이를 처단하지 않는가? 그 나라의 시민은 자기 삶을 위태롭게 하는 제국의 시민과 어떻게 싸워야 하는가?

역사상 스스로 예수 공동체라 일컫는 많은 단체가 악의 무리를 처단하려 했다. 그들은 종교재판의 이름으로 선량한 사람들을 고문하고 종교전쟁의 이름으로 많은 사람을 죽였다. 그들은 자신이 하나님을 대신하여 고문하고 전쟁한다고 말했다. 미국의 한 대통령은 테러 집단과 전쟁하면서 그 전쟁을 "새로운 십자군 전쟁"이며 "새로운 영적 전쟁"이라 표현했다. 오늘도 예수 공동체인 체하는 많은 집단이 자신을 반대하는 이를 협박하며 그에게 적대감을 드러낸다.

예수는 악의 무리를 처단하라고 가르친 적이 없다. 예수는 가장 정의로운 나라가 사법 권력을 지금 이 땅에서 펼친다고 말하지 않았다. 가장 정의로운 나라는 그 나라를 반대하는 이들조차도 사랑의 자리에 끌어들이려 애쓴다. 지난 기독교 역사 이천 년 동안 생겨난 무수한 가짜 예수 공동체들은 예수의 이 가르침을 무시했다. 예수의 가르침은 이렇게 시작한다.

> 하나님 나라는 어떤 사람이 자기 밭에다 좋은 씨를 뿌릴 때 일어나는 일에 비길 수 있습니다. 모두가 잠자는 동안에 나쁜 이가 와서 밀 가운데 가라지를 뿌리고 갔습니다. 마태13:24-25

한 농장주가 자기 밭에 좋은 밀알을 뿌렸다. 그는 좋은 씨만 밭에 뿌렸지만 모두가 잠자는 사이에 무슨 일이 생겼다.

시간이 지나고 줄기가 나서 열매를 맺을 즈음

에 일꾼들이 밭에 가보니 가라지가 밀과 함께 자라고 있다. 여기서 가라지는 더 정확히 말해 독보리다. 그들은 주인에게 묻는다. "주인어른! 어른께서 밭에 좋은 씨를 뿌리지 않으셨습니까? 그런데 가라지가 어디에서 생겼습니까?"마태13:27 처음에 좋은 씨만 뿌렸는데 나중에 독보리도 자라는 일은 분명히 중간에 무슨 일이 일어났음을 뜻한다. 중간에 일어났던 일은 분명 나쁜 일이다.

  물론 실제 상황에서 밀밭에 독보리가 자란 일은 우연히 일어난 자연 현상이다. 독보리 씨앗이 바람을 타고 날아와 밀밭에 떨어져 거기서 독보리가 자랐을 뿐이다. 하지만 예수의 이야기에서 그 일은 악의 출현과 같은 형이상학 현상이다. 이 현상 때문에 독보리가 생겨났다. 이 독보리는 그때그때 뽑아야 마땅하다. 일꾼들은 주인에게 여쭙는다. "그러면 우리가 가서 그것들을 뽑아 버릴까요?" 하지만 주인은 말한다. "아니다. 가라지를 뽑다가 밀도 함께 뽑으면 어떻게 하겠느냐? 거두는 날이 올 때까지 둘 다 함께

자라게 내버려 두어라."^마태13:29-30

예수는 지금 농사의 실제 기법을 설명하려는 것이 아니다. 그는 가장 정의로운 나라가 이 땅에 그 다스림을 미치는 방식을 말하려 한다. 그 다스림은 독보리를 내버려 두는 농부의 모습에 비길 수 있다. 가장 정의로운 다스림은 반대자를 지금 당장 없애지 않는다. 오히려 그 반대자와 마지막 날까지 공존하려 한다. 왜냐하면 나쁜 이를 없애려다 좋은 이까지 잘못 없앨 수 있기 때문이다.

왜 나쁜 이를 없애려다 좋은 이까지 잘못 없앨 수 있는가? 나쁜 이와 좋은 이를 가리는 일이 쉽지 않기 때문이다. 나쁜 이와 좋은 이를 가리는 일이 왜 쉽지 않은가? 좋은 이가 때때로 나빠지고 나쁜 이가 때때로 개과천선하기 때문이다. 물론 밀이 독보리가 되고 독보리가 밀이 되는 일은 자연에서 일어나지 않는다. 하지만 사람들의 사회에서 그런 일은 자주 일어난다. 당연히 본디 좋은 이와 본디 나쁜 이는 없다. 사람은 본디 좋은 이나 본디 나쁜 이로 태어나지 않는다. 다만 사람은 사랑하고 사랑받음으로써 좋은 이로 차츰 자라날 뿐이다. 이 때문에 가장 정의로운 나라는 나쁜 이를 없애지 않고 마지막까지 기다린다.

현재는 씨 뿌리는 이가 씨를 뿌리는 때다. 지금 가장 정의로운 다스림이 이 땅의 억눌린 이를 해방한다. 해방과 사랑이 지금 여기 시공간으로 들어온다. 다른 한편 현재는 독보리가 밀밭에서 함께 자라는 때다. 지금도 우리에게 억눌림과 아픔이 있다. 지금도 우리 가운데 나쁜 이가 있다. 그는 가장 정의로운 다스림을 지금 방해하고 공격한다. 하지만 지금 그 나라는 그를 심판하지 않는다. 다만 그를 사랑함으로써 그까지도 해방의 자리로 불러 모은다.

예수가 그 출범을 선포한 새로운 나라는 나쁜 마음에 사로잡힌 이들의 반대에 부딪힌다. 이 사실은 그 나라가 이 땅에서 실패하는 중임을 뜻하지 않는다. 다만 그 나라는 반대자의 힘보다 더욱 강하게 사람들을 사랑하고 해방한다. 그 나라는 이 일에 모든 에너지를 쏟는다. 그 나라는 자기 정책을 따르지 않는 이들을 심판하는 데 자기 행정력을 소모하지 않는다. 좋은 이와 나쁜 이를 가려 나쁜 이를 없애는 일은 사랑하고 해방하는 데 도움이 되지 않는다.

가장 정의로운 나라는 포용, 연대, 공존을 극대화하는 방식으로 억눌린 사람들을 해방한다. 그 나라는 모든 사람에게 해방의 자리를 마지막까지 열어둔다. 그 나라는 최대 최선의 변화를 꿈꾼다. 그 나라는 모든 이가 참삶을 살기 바란다. 이것이 가장 정의로운 다스림이 이 땅에 나타나는 모습이다. 마찬가지로 그 나라 시민은 타자를 파문하거나 쫓아낼 권리가 없다. 그는 배제 말고 포용을, 대립 말고 연대를, 분리 말고 공존을 즐긴다. 이 포용과 연대와 공존을 저버린 공동체는 예수 공동체일 수 없다.

> 가장 좋은 나라는 좋은 이와 나쁜 이를 가려 나쁜 이를 없애는 데 자기 힘을 쓰지 않습니다. 그 나라는 모든 이에게 해방의 자리를 마지막까지

열어둡니다. 그 나라는 모든 이가 참삶을 살기 바랍니다. 마찬가지로 그 나라 시민은 지금 타자를 파문하거나 쫓아낼 권리가 없습니다. 나쁜 이를 지금 당장 없애는 데 온 힘을 다하는 이는 그 나라의 시민일 수 없습니다.

17

내 자본을 사랑에 투자한다

그대 자본을 그대만의 안전과 영광을 위해 쓰는 일은 그대 소중한 것을 땅에 쌓아두는 일입니다. 하지만 그대 자본을 다른 이를 사랑하고 해방하는 데 쓰는 일은 그대 소중한 것을 하늘에 쌓아두는 일입니다.

예수는 시골과 어촌에서 활동하다가 드디어 예루살렘 성에 들어선다. 예수는 당시 사회의 정치, 종교, 경제, 문화 권력자를 비판한다.

> 모세의 율법을 가르치는 이들을 조심하십시오. 그들은 긴 예복을 입고 다니기를 좋아하고, 장터에서 인사받기를 즐기고, 회당에서는 높은 자리에 앉기를 즐기고, 잔치에서는 윗자리에 앉기를 즐깁니다. 하지만 그들은 과부의 재산을 삼키고, 남에게 뽐내려고 길게 기도합니다.^{누가20:46-47}

모세의 율법을 가르치는 이들이 어떻게 남편 잃은 여인의 재산을 삼키는가? 과부는 돈을 벌 수 있는 수단이 없다. 그들은 과부에게도 지나치게 많은 헌금을 강요하는 종교 분위기를 만들었다. 예수는 이들이 나중에 큰 벌을 받을 것이라 경고한다.

예루살렘 성전 제단은 남자만 드나들 수 있는데 따로 여인의 뜰이 있다. 예수가 여인의 뜰을 거닐고 있었다. 그곳에 헌금 상자가 놓여 있다. 헌금함은 열세 개의 궤짝으로 이뤄졌으며 궤짝은 아래쪽이 불룩하고 위쪽으로 올라갈수록 좁아지는 나팔 모양이다. 헌금함은 누가 얼마큼 헌금하는지 다른 사람이 볼 수 있다.

예수는 한 과부가 동전 두 닢을 헌금함에 넣는 것을 본다. 그 동전은 '렙돈'인데 그 당시 가장 낮은 통화 단위다. 렙돈 하나의 가치는 당시 노동자 하루 임금의 1/128이니 500원 정도다. 그 과부는 1,000원 정도를 헌금함에 넣었다. 일 년에 한두 번 내는 헌금치고는 너무 적다. 하지만 예수는 부자들의 헌금과 이 과부의 헌금을 견주며 이렇게 말한다.

> 제가 진심으로 그대들에게 말씀드립니다. 헌금함에 돈을 넣은 사람들 가운데 이 가난한 과부가 다른 누구보다도 더 많이 넣었습니다. 모두 다 넉넉한 데서 얼마씩을 떼어 넣었습니다. 하지만 이 과부는 가난한 가운데서 가진 모든 것

을 드렸습니다. 그는 이제 남은 생활비가 없습니다.^{마가12:43-44}

이 가난한 과부는 마음을 다해 다른 사람을 돕는 헌금을 했다. 예수에 따르면 그의 동전 두 닢은 다른 누구보다 많이 낸 헌금이다. 예수의 눈에 헌금의 가치는 액면가에 있지 않다.

헌금의 가치가 액면가에 있다고 보는 시각이 있다. 이 시각으로 우리는 사람, 건물, 성곽, 성전, 국가를 바라보곤 한다. 예수가 예루살렘 성전을 나와 걸어갈 때다. 제자들 가운데 한 사람이 성전을 가리키며 이렇게 감탄한다. "선생님, 보십시오, 얼마나 굉장한 돌입니까? 얼마나 굉장한 건물들입니까!"^{마가13:1} 당시 유대 역사가 요세푸스에 따르면, 성전을 이루는 돌 가운데는 길이가 20미터, 높이가 4.5미터, 너비가 3미터나 되는 돌도 있다. 다른 제자는 성전을 가리키며 "성전을 꾸미는 저 돌과 봉헌물이 얼마나 아름답습니까!"^{누가21:5} 하고 감탄한다.

예루살렘 성전은 석양의 햇빛을 받아 붉게 물들어 찬란하게 반짝인다. 한 랍비는 예루살렘 성전을 보지 못한 사람은 그 누구도 온전한 아름다움을 보지 못한 사람이라 말한다. 요세푸스는 그 성전이 눈뿐만 아니라 마음으로도 감탄할 수밖에 없는 최상의 건물이라 기록한다. 로마의 역사가 타키투스에 따르면 그 성전은 막대한 재산까지 가졌다. 성전은 금으로 만든 포도송이, 면류관, 그릇, 창문으로 장식되었다. 가난한 과부가 낸 동전 두 개만 헌금함에 들어왔더라면 그와 같은 화려한 건물은 결코 세워질 수 없다.

웅장하고 화려한 것은 오늘날 우리에게도 거룩함과 영광스러움의 상징이다. 솔로몬은 화려한 성전과 함께 튼튼한 예루살렘 성을 쌓았다. 진시황은 북방 오랑캐의 침략을 막으려고 웅장한 만리장성을 지었다. 고구려의 막강한 군사력은 수많은 성에 그 원천이 있었다. 그 성들은 우리에게 얼마큼의 안정과 평화를 주는가? 예수를 따른다고 하는 이들이 지난 이천 년 동안 세운 그 거대한 성당과 예배당은 하나님의 다스림을 드러내는가?

　　웅장하고 화려한 예루살렘 성전은 우리를 해방하지 못한다. 그 성전은 동전 두 닢을 내고 얻을 수 있는 순수한 평안을 주지 못한다. 오히려 예루살렘 성전은 가난하고 억눌린 사람이 떳떳하게 살 수 없는 사회 및 종교 체제의 상징이다. 성실한 종교 생활에서 삶의 안정을 얻는 사회의 상류층은 화려하고 웅장한 성전에 하나님께서 머문다는 믿음을 가난한 이들의 마음에 심는다. 이 때문에 예루살렘 성전은 민중에게 세상의 축이나 다름없다. 오직 하나님 안에서 해방과 평안을 찾는 그 가난한 과부조차도 그 축을 중심으로 살아야 한다. 하지만 그는 그 체제에서는 찬사를 얻기는커녕 늘 부끄러움 속에서 살 수밖에 없다. 동전 두 닢밖에 헌금하지 않는 자신이 너무 부끄럽다. 예루살렘 성전은 해방의 중심이 아니라 억압의 중심이다. 그것은 죄인을 양산하는 악의 축 같은 것이다.

　　예수는 전혀 다른 눈으로 성전을 본다. 눈에

보이는 그 성전은 단지 사람의 손으로 지은 건물에 지나지 않는다. 그것은 영원한 평화를 주지 못한다.

> 그대는 이 큰 건물들을 보고 있습니까? 여기에 돌 하나도 돌 위에 남지 않고 다 무너질 것입니다.^{마가13:2}

예수는 성전을 축으로 돌아가는 지배 시스템이 언젠가 철저히 파괴될 것임을 경고한다. 예루살렘 성전보다 훨씬 강한 로마 제국이 나타나 예루살렘을 무너뜨릴 것이다. 로마가 새로운 축을 만들어 모든 사람이 그 축을 중심으로 돌게 할 것이다. 화려한 성전과 튼튼한 성곽은 평화를 주지 못한다. 예수는 예루살렘 성을 보고 울었다. "오늘 네가 평화에 이르는 길을 알았더라면 좋을 터인데. 그러나 지금 너는 그 길을 보지 못하는구나."^{누가19:42}

이 경고의 소리는 돈과 땅으로 삶의 안정을 좇는 오늘날 우리에게도 생생히 울린다. 예수는 자신이 소중히 여기는 것을 땅에 쌓아두지 말고 하늘에 쌓아두라 한다.

> 자기를 위해서 소중한 것을 땅에 쌓아두지 마십시오. 땅에서는 좀이 먹고 녹이 슬어 망가지며 도둑들이 뚫고 들어와서 훔쳐 갑니다. 그러므로 그대의 소중한 것을 하늘에 쌓아두십시오. 거기에는 좀이 먹거나 녹이 슬어 망가지는 일이 없고, 도둑들이 뚫고 들어와서 훔쳐 가지도 못합니다. 마태6:19-20

여기서 땅과 하늘의 대비는 일시성과 영원성, 불안과 평안의 차이를 극대화한다.

소중한 것을 '땅'에 쌓아두는 것은 무엇이고 '하늘'에 쌓아두는 것은 무엇인가? 누가복음 12장 33절에는 어떻게 하는 것이 자기 소중한 것을 '하늘'에 쌓아두는 것인지 어렴풋이 나타나 있다.

> 그대가 가진 것을 팔아서 가난한 사람에게 드리십시오. 그대 자신을 위해 낡아지지 않는 보물 주머니를 만드십시오. 도둑이 훔치지도 못하고 좀 먹지도 않는 하늘에 그대 소중한 것을 안전히 보관하십시오.

소중한 것을 낮은 이를 돕는 데 쓰는 일은 그것을 하늘에 쌓아두는 일이다. 우리의 자본, 우리의 보물, 우리가 소중히 여기는 것, 우리의 능력을 가난한 이를 살리고, 억눌린 이를 풀어주고, 슬픈 이를 어루만지고, 앓는 이를 고치는 데 써야 한다. 가장 정의로운 나라의 시민은 자신의 자본과 능력을 타인을 해방하는 데 쓴다.

나의 능력과 자본을 나만의 안정과 영광을 위해 쓰는 일은 보화를 땅에 쌓는 일이다. 그것은 이내 무너질 거대한 성곽과 화려한 성전을 이 땅에 짓는 것과 같다. 하지만 내 능력과 자본을 타인을 사랑하는 데 쓰는 일은 하늘에 보화를 쌓아두는 일이다. 예수는 자기 소중한 것을 하늘에 쌓아두라 한 뒤 마태복음 6장 20절과 누가복음 12장 34절에서 말한다.

> 그대에게 소중한 것이 있는 곳에 그대 마음도 있습니다.

이것은 이렇게 옮기기도 한다. "그대의 보물 창고가 있는 곳에 그대의 마음도 있습니다."

내 자본을 해방과 사랑에 투자하는 일은 내가 소중히 여기는 것을 하늘에 쌓아두는 일이다. 내가 소중히 여기는 것이 놓인 곳에 내 마음이 있고 내 마음이 있는 곳에 내가 있다. 따라서 내 자본을 해방과 사랑에 투자함으로써 지금 나는 하늘의 삶을 산다.

> 그대 자본을 자기만의 안전과 영광을 위해 쓰는 일은 그대 소중한 것을 땅에 쌓아두는 일입니다. 하지만 그대 자본을 다른 이를 사랑하고 해방하는 데 쓰는 일은 그대 소중한 것을 하늘에

쌓아두는 일입니다. 그대의 소중한 것을 하늘에 쌓아두십시오. 그대에게 소중한 것이 있는 곳에 그대 마음도 있습니다. 하늘의 시민은 자신의 자본을 사랑과 해방에 투자합니다.

내 자본을 사랑에 투자한다

18

하늘이 있다고 생각해 보라!

하늘에 계신 우리 아버지! 가장 정의로운 나라의 다스림이 지금 여기 이 땅에도 미치게 해주십시오. 가장 정의로운 이의 뜻이 이 땅에서도 이루어지게 해주십시오. 기댈 곳이 없어 오직 하느님에게만 기대는 사람을 당신 나라의 시민으로 삼아 주십시오.

하늘이 없다면 좋을까? 존 레논은 「이매진」에서 이렇게 노래한다.

> 하늘이 없다고 상상해 봐요. 해보면 쉬워요. 저 아래 지옥이 없고 저 위에는 창공만 있어요. 모든 사람이 오늘을 위해 산다고 상상해 봐요. 나라들이 없다고 상상해 봐요. 어렵지 않아요. 죽이고 죽을 일도 없어요. 종교도 없다고 상상해 봐요. 모든 사람이 자유롭게 사는 걸 상상해 봐요. 제가 몽상가라고 말할지 모르겠네요. 하지만 전 혼자가 아녜요. 언젠가 당신도 함께하길 빌어요. 그리고 세계가 하나가 되어 살길 빌어요. 소유가 없다고 상상해 봐요. 당신이 상상할 수 있을지 모르겠네요. 탐욕도 궁핍도 없고 사랑만 있다고 상상해 봐요. 모든 사람이 모든 것을 나누는 그런 세상을 상상해 봐요.

이 노래에는 "헤븐"뿐만 아니라 "스카이"도 나온다.

"헤븐"은 아마도 마태가 사용한 "하늘나라"나 "천국"에서 따온 말로 보인다. "헤븐"과 지옥을 뜻하는 "헬"이 대구를 이룬다. "헤븐"은 "하늘"로 옮기고 "스카이"는 "창공"으로 옮겼다. "형제애"는 그냥 "사랑"으로 옮겼다.

「이매진」이 노래하는 세계는 참으로 아름답다. 이 노래는 세계가 하나 되어 살 것을 바란다. 그런 세계를 상상하려고 소유가 없는 세계를 상상한다. 그런 세계에서는 탐욕도 궁핍도 없고 사랑만 있을 것이다. 그곳은 모든 사람이 모든 것을 나누는 세상이다. 「이매진」은 소유에 집착하는 세상을 비판한다. 나아가 「이매진」은 하늘, 지옥, 미래를 믿는 종교를 비판한다. 모든 사람이 모든 것을 나누고 세계가 하나 되어 사는 데 가장 큰 걸림돌은 종교다.

인류가 서로 죽이는 일은 왜 일어나는가? 그것은 종교와 결합한 나라들 때문이다. 전쟁은 자기들만의 하늘나라를 얻기 위한 민족과 민족, 나라와 나라의 싸움이다. 그래서 「이매진」은 노래한다. "하늘이 없다고 상상해 봐요. 나라들이 없다고 상상해 봐요. 종교도 없다고 상상해 봐요. 모든 사람이 오늘을 위해 산다고 상상해 봐요." 「이매진」은 그것이 가능하다고 믿는다. 저 아래는 지옥이 없고 저 위에는 창공만 있을 뿐이다. 하늘나라 따위는 없다. 죽어서 가는 하늘나라를 믿고 그런 종교를 따르는 것은 단지 미래를 위해서만 사는 것이다. 그것은 오늘을 사는 일과 거리가 멀다. 하늘나라와 종교를 부정할 때 비로소 우리는 오늘을 위해 살 수 있다.

존 레논의 「이매진」이 바라는 세상은 예수가 바라는 세상과 거리가 멀지 않다. 예수는 당시 종교 행태를 비판하고 제국의 행태를 비판했다. 하지만 예수는 나라를 말하고 하늘을 말한다. 그는 나라가 있어야 한다고 생각한다. 그는 하늘이 있어야 한다고 생각한다. 그는 "하늘이 없다고 상상해 봐요"를 말하지 않는다. 오히려 "하늘이 있다고 상상해 봐요"를 말한다.

"하늘"을 우리나라에서는 "하늘님" 또는 "하느

님"이라 한다. 우리나라의 개신교 신자에게 "하나님"은 오직 하나만 있는 그 하느님을 가리킨다. 여태 우리는 홀이름 "하나님"을 줄곧 써왔다. 이제 "하나님" 대신에 두루이름 "하느님"을 쓸 텐데 이로써 예수가 가진 '하느님' 개념을 이해하려 한다.

예수의 이매진은 이렇게 노래한다.

> 기댈 곳이 없어 오직 하느님에게만 기대는 사람에게 축하드립니다. 그는 지금 하느님 나라의 시민입니다. 슬퍼하는 사람에게 축하드립니다. 하느님이 그를 위로할 것입니다. 온유하고 겸손한 사람에게 축하드립니다. 그가 땅을 차지할 것입니다. 먹고 마시는 것보다 모든 이가 올바르게 대우받기를 바라는 사람에게 축하드립니다. 그는 바라는 것을 얻게 될 것입니다. 자비로운 사람에게 축하드립니다. 하느님이 그를 자비롭게 대하실 것입니다. 마음이 깨끗한 사람에게 축하드립니다. 그는 하느님을 볼 것입니다. 평화

를 이루는 사람에게 축하드립니다. 하느님이 그를 아들딸이라 부르실 것입니다. 옳은 일을 하다가 괴롭힘을 당하는 사람에게 축하드립니다. 그는 지금 하느님 나라의 시민입니다.^{마태5:3-10}

원문의 "마음이 가난한 사람"을 예수의 의도를 살려 "기댈 곳이 없어 오직 하느님에게만 기대는 사람"으로 달리 썼다. 마찬가지로 "의에 주리고 목마른 사람"을 "먹고 마시는 것보다 모든 이가 올바르게 대우받기를 바라는 사람"으로 풀었다.

누가복음에 나오는 예수의 이매진에는 조금 다른 노랫말이 담겼다.

가난한 그대에게 축하드립니다. 그대는 지금 하느님 나라의 시민입니다. 지금 굶주린 그대에게 축하드립니다. 그대는 앞으로 배부르게 될 것입니다. 지금 슬피 우는 그대에게 축하드립니다. 그대는 앞으로 웃게 될 것입니다.^{누가6:20-21}

마태복음의 "하늘나라가 그의 것입니다"와 누가복음의 "하느님 나라가 그대의 것입니다"는 "그는 지금 하느님 나라의 시민입니다"로 달리 썼다. 우리는 원문에서 문장의 시제를 눈여겨봐야 한다. "하느님이 그를 위로할 것입니다", "그가 땅을 차지할 것입니다", "그대는 앞으로 배부르게 될 것입니다" 따위는 미래시제지만 "그는 지금 하느님 나라의 시민입니다"는 현재시제다.

예수는 하늘이 없다고 상상하는 것이 우리 해방을 앞당긴다고 생각하지 않는다. 그는 나라가 없다고 상상하는 것이 우리 해방을 앞당긴다고 생각하지 않는다. 오히려 그는 '하느님 나라'를 말한다. 그는 가장 좋은 다스림을 갈구한다. 하늘이 없다 해서 사람이 오늘을 위해 살게 되지는 않는다. 종교가 없고 나라가 없다 해서 사람이 서로 죽이는 일을 멈추게 되지는 않는다. 그런 것이 없다 해서 모든 사람이 자유롭게 살고 세계가 하나 되어 살게 되지는 않는다. 하늘이 없고 나라도 없는 곳에서는 오히려 온통 투쟁과 온갖 경쟁만 있을 뿐이다.

소유가 없는 세계, 탐욕도 궁핍도 없고 사랑만 있는 세계, 모든 사람이 모든 것을 나누는 그런 세계는 하늘 없이 오지 않고 나라 없이 오지 않는다. 예수는 오히려 하늘이 있어야 한다고 생각한다. 그는 가장 정의로운 다스림이 펼쳐지는 곳에서 우리가 해방될 수 있다고 믿는다. 그는 마태복음 6장에서 기도한다.

하늘에 계신 우리 아버지! 가장 정의로운 나라의 다스림이 지금 여기 이 땅에도 미치게 해주십시오. 가장 정의로운 이의 뜻이 이 땅에서도 이루어지게 해주십시오.

19

나는 어느 나라의 시민인가?

만일 그대의 존재 근거를 타자에 대한 무한한 개방성에 둔다면 그대는 이미 가장 정의로운 나라의 시민입니다.

예수의 제자들은 여러 나라를 돌아다니며 하느님의 나라를 온갖 사람에게 퍼트렸다. 이는 사도행전 8장 12절, 19장 8절, 20장 25절, 28장 23절, 28장 31절에서 잘 읽을 수 있다. 예수를 믿는 이들은 하느님의 나라를 받아들였다. 하지만 하느님 나라는 하느님이 왕좌에 앉아 있는 특정 지역을 가리키지 않는다. 하느님 나라는 하늘 궁전이 아니며 천당이 아니다.

요즘 많은 이가 "예수 천당"을 외치지만 "천당"은 성경에 아예 나오지 않는다. 낱말 "천국" 때문에 많은 이가 하느님 나라를 천당으로 오해한다. "천국"이나 "하늘나라"는 성경에서 모두 37번 나온다. 디모데후서 4장 1절의 한 번을 빼면 모두 마태복음에 나온다. "천국"이나 "하늘나라"는 마태의 낱말이며 예수는 이 말을 쓴 적이 없다. 많은 이가 "천국"을 예수의 본뜻과 너무 다르게 쓴다. 보기를 들어 우리가 죽으면 우리 영혼이 천국에 들어간다고 말들 한다. 이런 쓰임새는 성경에서 쓰인 적이 없다.

하느님 나라는 요한계시록의 '새 예루살렘'이

나 '거룩한 성'이 아니다. 여기서 '성'은 오늘날 개념으로 '도시'에 가깝다. 요한계시록의 거룩한 도시는 인간 해방과 구원 기획이 완성된 시공간이다. 사람은 돌도끼를 쓴 다음 차츰 도시를 세우고 1만 년 동안 도시를 가꾸고 다듬었다. 우리가 언젠가 마지막 도시에 살게 될 때 모든 아픔과 슬픔과 외로움이 사라질 것이다. 그곳에서는 아무도 굶주리지 않고 목마르지 않으며 무서워하지 않고 추워 떨지 않을 것이다. 하지만 우리는 아직 마지막 도시나 거룩한 도시에 살지 않는다. 우리는 여전히 여기 쓸쓸하고 차가운 땅 위에 산다.

"하느님 나라"에서 "나라"가 무엇인지는 예수가 제자에게 가르쳐준 기도에 매우 잘 나타난다. 주기도문에서 예수는 하느님의 나라가 오게 해 달라고 기도한다.

> 그 나라를 오게 하여 주시며 그 뜻을 하늘에서 이루심 같이 땅에서도 이루어 주십시오. 마태6:10

예수는 "하느님 나라를 오게 하여 주십시오"를 "하느님의 뜻을 하늘에서 이루심 같이 땅에서도 이루어 주십시오"로 달리 쓴다. "하느님 나라가 온다"는 "하느님의 의지가 하늘에서와 마찬가지로 땅에서도 실행된다"를 뜻한다. 그 나라가 이 땅에 오는 일은 하느님의 의지, 그의 힘, 그의 다스림이 이 땅에 강하게 미치는 일이다. "하느님 나라"는 하느님의 뜻, 의지, 힘, 주권, 통치력, 다스림, 정부, 정치를 뜻한다.

예수는 하느님 나라를 영토, 성곽, 도시로 묘사하지 않는다. 그는 그 나라를 오히려 어떠어떠한 활동, 행위, 사건, 운동, 힘으로 묘사한다. 하느님 나라는 물리 공간이 아니라 사건이다. 그 사건은 사랑하고 해방하는 사건이다. 예수의 기쁜 소식은 사람을 사랑하고 해방하는 하느님의 행위가 이 땅에서 지금 벌어진다는 소식이다. 하느님의 정부는 지금 이 땅에서 사람을 사랑하고 해방하는 데 온 힘을 다한다. 이 소식은 가난하고 억눌린 이들에게 기쁜 소식이다.

예수의 역할은 기쁜 소식을 전하는 전령에 그

치지 않는다. 그는 기쁜 소식을 실현하는 이다. 그는 하느님의 나라가 이 땅에 실현되게 하는 그 나라의 행정 수반이다. 예수는 하느님 나라의 대통령이 되어 몸소 행정을 집행한다. 그는 모든 사람을 해방하는 새로운 나라를 손수 만든 셈이다. 하느님 나라는 예수의 나라다. 예수는 가난하고 억눌린 사람들을 자기 나라 안으로 불러 모은다. 예수는 그들이 이미 그 나라의 시민이 되었다고 말한다. "그대 가난한 이들에게 축하할 일이 있습니다. 하느님의 나라가 그대의 것입니다."^{누가6:20}

예수는 자신의 나라를 유대인의 신성 국가나 로마 제국과 다르게 그린다. 그 나라는 우리가 언제나 쉽게 들어갈 수 있는 곳에 놓여 있다.^{누가17:21} 그 나라는 입국비자를 발급받으려 애타게 애쓰지 않아도 된다. 그 나라의 시민이 되기를 바라는 모든 이에게 시민권을 발부한다.^{마태22:9} 그 나라는 거기에 들어오는 이가 가난하든지, 신체 결함이 있든지, 배운 것이 적든지, 삶에 흠결이 있든지 상관하지 않는다. 모든 사람이 그 나라의 시민이 되기를 바란다. 그 나라에 들어오기를 바라는 모든 이에게 그 나라는 열려 있다.마태13:47 오히려 이주민에게 적대 감정을 드러내는 기존 시민에게 추방 명령이 내려진다. 나아가 생존 경쟁을 핑계로 다른 이의 존재 기반을 무너뜨리려는 이는 시민권을 박탈당한다.마태20:14 가장 낮은 자리에 있는 시민조차도 최고 통치자와 똑같은 대우를 받는다.마태25:40

예수의 나라는 적을 응징하는 데 자기 통치력을 허비하지 않는다. 그 나라의 진정한 힘은 적에게조차 해방과 사랑의 정책을 실천하는 데서 발휘된다. 반면 예루살렘 성전과 로마 제국은 자신의 반대자들을 증오하고 파멸하려 한다. 여기에 동조하고 가담한 이들은 예수의 해방 활동에 거부감을 가진다. 그들은 예수의 기쁜 소식을 결코 기쁘게 들을 수 없다.

예수가 국가의 통치를 이야기하는 방식은 구태의연한 인습에 바탕을 둔 전통 권력을 뿌리째 흔들었다. 그의 기쁜 소식은 예루살렘 성전을 축으로 움직이는 종교 권력과 로마를 축으로 움직이는 제국 권력을 겨냥한다. 예수는 예루살렘의 대제사장과 신학자 앞에서 경악스럽게도 자신이 이내 하느님 나라의 통치자로 군림할 것임을 장담한다.

> 제가 그대들 모두에게 다시 말씀드리겠습니다. 그대들은 이내 사람의 아들이 모든 권력을 잡고 힘 있는 자리에 앉아 있는 것을 보게 될 것이며 하늘 구름을 타고 오는 것을 보게 될 것입니다.
> 마태26:64

이에 예루살렘의 종교지도자들은 자기 옷을 찢고 예수를 신성모독으로 사형할 것을 거세게 요구한다.

사랑과 무관하게 인습에 따라 살던 이들은 "예수의 얼굴에 침을 뱉고 그를 주먹으로 치고 손바닥으로 때리기도 했다."마태26:67 또 그들은 예수를 반역자로 고발한다. "자기를 가리켜서 임금이라 하는 사람은 누구나 황제 폐하를 반역하는 자입니다."요한 19:12 또한 그들은 자신들의 통치자는 오직 로마 황제뿐이라고 외친다. "우리에게는 황제 폐하밖에 임금이 없습니다."요한19:15 이처럼 그들은 예수에게서 진정한 통치자의 모습을 전혀 보지 못했다.

하지만 예수의 기쁜 소식을 기쁘게 듣는 이들은 그를 가장 정의로운 나라의 통치자로 흔쾌히 받아들인다. 그는 그 나라의 시민이 되어 사랑과 해방의 관점에서 새로운 삶을 산다.

> 만일 그대의 나라가 예루살렘이나 로마에 있다면 그대는 세속 기득권을 지키는 데 그대 삶을 바칠 것입니다. 언젠가 예루살렘과 로마가 무너질 때 거기에 기댄 그대 영혼도 함께 허물어질 것입니다. 하지만 만일 그대의 존재 근거를 타자에 대한 무한한 개방성에 둔다면 그대는 가장 정의로운 나라의 시민이 될 것입니다.

PART 4

그리스도인은 무엇을 믿는가?

20

그의 다스림이 그를 말해준다

예수에게 하느님은 사랑하고 해방하는 마음 씀씀이다. 하느님은 사람을 사랑하고 만물을 해방하는 마음이다. 이 마음은 예수가 가진 마음이기도 하다.

예수는 하늘 곧 하느님이 있어야 한다고 생각한다. 하지만 예수는 하느님을 곧바로 이야기하지 않고 에둘러 이야기한다. 그는 하느님이 다스리는 나라를 이야기한다. 예수는 하느님이 다스리는 모습을 말함으로써 하느님의 본모습을 조금씩 찾아간다. 하느님의 본모습을 알려면 그가 다스리는 모습을 알아야 한다.

예수는 하느님을 저기 멀리 있는 초월자나 무시무시한 심판자로 그리지 않는다. 하느님 나라의 통치자는 사법권이 아니라 주로 행정권을 행사한다. 물론 예수 당시에 삼권분립 개념이 없었기에 나라의 최고 통치자는 '행정 수반'이라기보다 '총통'이다. 하느님은 행정권과 입법권과 사법권을 모두 행사하는 통치자다. 예수는 하느님 나라를 이야기할 때 입법권과 사법권이 아니라 행정권을 강조한다. 역사상 교회 권력은 예수의 이 메시지를 아예 무시했다. 그들은 하느님의 사법 지위를 지나치게 강조했다. 마치 교회 권력이 하느님의 사법 지위를 대리하는 양 세상을 향해 칼을 휘두르며 설쳐대었다.

교회 권력이 세상 사람을 향해 사법권을 부리는 일은 예수의 메시지를 완전히 왜곡하는 짓이다. 역사상 교회가 인류에게 저지른 가장 악랄한 범죄들은 하느님의 사법 지위를 악용한 데서 유래했다. 이교도 학살, 문명 파괴, 십자군 전쟁, 마녀사냥, 종교재판, 고문, 종교전쟁, 식민지 지배는 교회 권력을 장악한 이들이 하느님의 사법 지위를 임의로 수임한 사례들이다. 그 나라의 대표자를 자임하는 예수는 십자가에 매달려 죽을 때까지 자신의 사법 지위를 드러내지 않는다. 설사 사법권을 드러내더라도 그는 처벌이 아니라 용서의 방식으로 드러낸다.

　　세속의 통치자와 종교 위선자는 불완전, 허물, 흠, 죄를 빌미로 사람들을 모욕하고 분리한다. 그들은 다른 이들이 하느님 가까이 오는 것을 오히려 막는다. 그렇게 함으로써 자신만의 '하느님' 개념을 만든다. 하지만 예수는 버림받은 사람들과 어울리는 일이 하느님의 다스림과 더 잘 어울린다고 본다. 그에 따르면 그 나라의 행정 목표는 사람을 본디 존엄

한 존재로 되돌려 놓는 일이다. 그에게 하느님 나라는 존중받지 못한 채 사람다운 삶을 살지 못하는 이를 다시금 사람으로 살게 하는 해방 활동이다.

　　이처럼 예수는 '하느님', '하느님의 영', '하느님의 마음'을 해방 활동을 펼치는 사랑의 힘으로 그린다. 원래 영, 영혼, 마음은 운동의 원동력이다. 예수에 따르면 이 힘, 동력, 활동, 통치, 정치는 지금 이 땅에 발휘되는 중이다. 그 힘은 예수가 행위하는 바로 그 현재에, 지금 우리가 살아가는 이 현재에 발휘된다. 하지만 지금 여기에 발휘되는 그 해방의 힘은 결코 심판의 힘이 아니다. 이 힘은 전혀 난폭하지 않으며 우리를 두려움에 떨게 하지 않는다.

　　예수는 떠난 아들이 어서 돌아와 자기에게 안기기를 바라며 팔을 한없이 넓게 벌리고 있는 아버지의 기다림, 한 마리 잃은 양을 찾으러 나서는 목자의 애절함, 무한히 빚진 이를 용서하는 채권자의 한없는 자비, 실직자를 구하려고 해가 질 무렵 다섯 시에도 그를 품꾼으로 고용하는 고용인의 넉넉함, 독보리를 추수 때까지 뽑지 않는 농부의 오래 참음에 빗대어 하느님의 마음을 그린다. 이 따뜻한 마음이 이 땅에 내려와 사람들을 지금 사랑하고 해방한다.

하느님을 이런 모습으로 그린 사람은 예수가 처음이다. 예수는 하느님을 역사상 최초로 "아빠"라 부른다. 복음서에 나오는 거의 모든 구절이 예수에게서 나오지 않았다고 주장하는 문헌학자조차도 하느님을 "아빠"라고 불렀던 인물로 예수를 지목하는 데 반대하지 않는다.

> 아빠, 아버지, 아버지께서는 모든 일을 하실 수 있습니다. 제게서 이 잔을 거두어 주십시오. 하지만 제 뜻대로 하지 마시고 아버지의 뜻대로 해 주십시오.^{마가14:36}

예수에게 하느님은 사랑하고 해방하는 마음 씀씀이다. 하느님은 사람을 사랑하고 만물을 해방하는 마음이다. 이 마음은 예수가 가진 마음이기도 하다. 예수의 이 마음을 우리는 "성령"이라 한다. 아버지, 성령, 예수가 똑같다는 믿음은 그냥 아무렇게 나온 믿음이 아니다. 이 믿음 안에 그 이전에 나온 적이 없는 아예 새로운 '하느님' 개념이 담겼다.

21

예수는 사람의 본이다

예수는 자기부정을 통해 스스로 사람 아닌 것을 모두 없애고 남은 사람의 본이 된다. 만일 우리가 예수의 자기부정 뒤에 숨겨진 해방자로서 그의 직위를 발견한다면 우리 마음은 해방될 준비를 이미 마쳤다.

어두컴컴한 뒷골목 구석에 한 물체가 있다. 그는 사람의 몸을 지녔다. 그는 피투성이다. 그는 상처투성이다. 그는 버림받은 알몸이다. 우리는 그의 신분을 알 수 없다. 우리는 그가 귀족인지 노예인지, 학자인지 무식꾼인지, 검사인지 좀도둑인지, 미국 사람인지 북한 사람인지, 돈이 많은지 적은지 알 수 없다. 그는 지금 하나의 물체로 전락했다. 그는 지금 지나쳐도 되는 물체로 격하되었다.

한 윤리학자가 예수에게 묻는다. "선생님 제가 무엇을 해야 영원한 삶을 얻을 수 있겠습니까?"^{누가10:25} 그는 이미 그 답변을 알았다. 하느님을 사랑하고 이웃을 사랑하는 것이다. 예수는 이 답변에 동의한다. "그대 대답이 옳습니다. 그대로 행하십시오. 그리하면 영원히 살 것입니다."^{누가10:28} 그는 다시 예수에게 묻는다. "그러면 누가 제 이웃입니까?"

이에 예수는 한 버림받은 사람을 이야기한다.

어떤 사람이 예루살렘에서 여리고로 내려가다

가 강도들을 만났습니다. 강도들이 그를 때리고 옷을 벗기고 그가 가진 모든 것을 빼앗았습니다. 그를 죽을 만큼 때려 놓고 내버려 두고 갔습니다. 마침 한 종교지도자가 그 길로 가고 있습니다. 하지만 그는 강도 만난 사람을 보자 피하여 지나갔습니다. 나중에 종교 직무를 담당하는 이도 그곳에 이르렀습니다. 하지만 그도 강도 만난 사람을 보고 피하여 지나갔습니다.

한 사마리아 사람은 길을 가다가 그 강도 만난 사람이 있는 곳에 이르렀습니다. 그 사람을 보자 가여운 마음이 들어 그에게 가까이 다가갔습니다. 그는 그 강도 만난 사람의 상처에 올리브기름과 포도주를 붓고 싸매어주었습니다. 그런 다음 그 사람을 자기 당나귀에 태워 여관으로 데리고 가 돌봐주었습니다. 다음 날 그는 돈을 꺼내 여관 주인에게 주며 말했습니다. "이 사람을 돌봐주십시오. 돈이 더 들면 제가 돌아오는 길에 갚겠습니다."^{누가10:30-35}

예수는 이 이야기를 한 다음 윤리학자에게 묻는다. "그대는 이 세 사람 가운데서 누가 강도 만난 사람에게 이웃이 되어 주었다고 생각하십니까?"^{누가10:36}

여기서 예수는 윤리학자의 물음을 바꾸었다. 그의 물음은 "누가 우리의 이웃인가?"다. 예수의 물음은 "누가 강도 만난 사람에게 이웃이 되어 주었는가?"다. 우리가 우리 이웃을 사랑해야 한다면 우리는 당연히 우리 이웃이 누구인지 물어야 한다. 물음 "누가 우리의 이웃인가?"는 "우리는 누구에게 이웃이 되어 주어야 하는가?"를 묻기도 하고 "우리에게 이웃이 되어 주는 이는 누구인가?"를 묻기도 한다. 사마리아 사람은 강도 만난 사람에게 이웃이 되어 주었다. 예수는 그 윤리학자에게 답한다. "그대도 가서 똑같이 하십시오." ^{누가10:37}

만일 내가 강도 만난 사람이면 나에게 이웃이 되어 주는 이는 사마리아 사람이다. "너의 이웃을 사랑하라"는 말씀에 따르면 나는 사마리아 사람을 사랑해야 한다. 한편 내가 사마리아 사람이면 나는 강도 만난 이에게 이웃이 되어 주어야 한다. 예수의 말씀 "그대도 가서 똑같이 하십시오"는 "그대도 사마리아 사람처럼 강도 만난 이에게 이웃이 되어 주십시오"를 뜻한다. "너의 이웃을 사랑하라"는 말씀에 따르면 나는 강도 만난 이를 사랑해야 한다. 나는 사마리아 사람이 했듯이 강도 만난 이에게 이웃이 되어 그를 보살펴야 한다.

우리 삶에서 강도 만난 사람은 누구를 가리키는가? 물음 "우리는 누구에게 이웃이 되어 주어야 하는가?"에 예수는 "모든 사람"이라 답한 셈이다. 사마리아 사람이 강도 만난 사람에게 이웃이 되어 준 것처럼 우리도 그와 똑같이 하라는 말은 우리가 만나는 모든 사람을 이웃으로 여기라는 말이다. 이웃은 단지 사람이다. 모든 사람을 이웃으로 대하고 그를 사랑하는 일이 영원히 사는 길이다.

예수의 이야기에 나오는 종교지도자와 종교인은 강도 만난 사람을 이웃으로 대하지 못했다. 그들은 강도 만난 그를 하나의 물체로 여기고 지나쳤다. 영원히 사는 길, 구원의 길, 해방의 길은 참사람이 걸어야 할 길이다. 그 길은 사람을 하나의 물체로 대하지 않는 것이다. 여기서 예수는 사람을 두 원리에서 정의한다. 첫째, 누구든지 그는 그 자체로 사람으로 대우받을 자격이 있다. 그의 재산, 의상, 학위, 인맥 따위는 액세서리에 지나지 않는다. 사마리아 사람은 이 원리에 비추어 강도 만난 이를 사람으로 여기고 그를 사랑했다. 둘째, 다른 사람을 첫째 원리에 따라 사랑하는 이는 누구든지 참사람의 자격을 얻는다. 나는 한편에서 이미 사람이지만 다른 편에서 아직 참사람이 아니다. 나는 이미 사람으로 대우받을 권리를 갖지만 다른 사람을 사람으로 대할 때 비로소 참사람이다.

강도 만난 사람 이야기는 더 깊은 뜻이 담겼다. 한 물체가 십자가에 달렸다. 그는 벌거숭이다. 그는 고운 모양도 없고 훌륭한 풍채도 없다. 그는 흠모할 만한 모습이 전혀 없다.^{이사야53:2} 그는 얼굴이 새까맣게 탔고 살갗이 거칠다. 그는 늘 몸에 병이 있다. 사람들은 그가 하느님의 징벌을 받아 고난받는다고 생각한다. 그는 사람들에게 멸시받는다. 선량한 보통 사람들도 덩달아 그를 귀하게 여기지 않는다. 그는 폭력을 쓰지 않고 거짓말도 하지 않았다. 하지만 사람들은 그에게 죄를 뒤집어씌운다. 사람들은 그를 희생양으로 만든다. 그는 굴욕을 당하고 고문을 당한다. 헬라의 사상, 라틴의 법률, 유대의 종교가 합작하여 그를 죽인다.요한19:20

예수는 사람이다. 예수는 사람에게 사람 아닌 것을 모두 없앤 뒤 알짜로 남는 사람의 본이다. 그 본은 우리에게 지극히 보잘것없는 물체처럼 보인다. 예수는 강도 만난 사람처럼 한 물체로 전락한다. 예수의 실제 삶은 강도 만난 사람의 삶이다. 예수는 삶의 마지막에 강도 만난 사람이 되었다. 그는 십자가 위에 매달린 물체가 되어 우리 앞에 나타난다.

예수는 피투성이 알몸으로 십자가에 매달렸다. 그것은 버려진 물체다. 우리는 이 물체를 그냥 지나치는가? 우리는 그를 참사람이 사는 나라의 최고 통치자임을 믿을 수 있는가? 우리는 그가 온 우주를 새롭게 피어나게 할 우주의 치료자임을 믿을 수 있는가? 우리는 이를 믿기 어렵다. 왜냐하면 그는 지극히 보잘것없는 물체에 지나지 않기 때문이다. 우주의 구원자가 힘없이 강도에게 잡혀 저렇게 비참하게 고난받을 리가 없다.

땅의 사람들은 생각한다. 강력한 무력이 없기에 그는 사람을 적으로부터 보호할 수 없다. 무력을 행사하지 않고서 사람을 다스릴 수 없기에 그는 나라의 통치자가 될 수 없다. 실제로 많은 사상가가 비웃었다. 하느님은 힘이 없다. 왜 하느님은 탱크나 대포가 없을까? 왜 하느님은 군함과 폭격기가 없을까? 그것들이 있어야 악당을 쳐부수고 착한 이를 보호할 수 있을 텐데. 예수는 더욱 힘이 없다. 탱크도 내포도 군함도 폭격기도 없이 어떻게 사람을 해방할 수 있는가?

사상가들은 하와이 해변이나 오리온성좌에 앉아 여유롭게 이 세상의 악행을 구경만 하는 구원자에 더는 매달리지 말라고 말한다. 그런 구원자에게 매달리는 일은 유치한 정서다. 하늘을 믿는 일은 미신이며 미몽이다. 니체는 말한다. "땅에 충실하라! 이 땅 너

머의 희망에 관해 말하는 자를 믿지 말라!" 까뮈는 말한다. "사람이 더는 하느님을 믿지 않을 때 그는 책임지고 자신이 스스로 모든 삶을 꾸려나간다." 사르트르는 말한다. "존재하는 것은 오직 나뿐이다. 나 홀로 악을 선택하기로 결단하고 선을 고안한다. 오늘 내가 나를 스스로 고발할 수 있으며 오직 나만이 나를 사면할 수 있다." 자기 삶을 스스로 열어가는 나 자신이 하느님이다.

하지만 예수는 구원자, 해방자, 메시아, 하느님을 다르게 그린다. 예수의 그림에서는 십자가에 매달린 그 피투성이 알몸이 하느님이다. 위대하고 위대한 하느님을 맘속에 그리던 당시 종교인에게 그것은 신성모독이다. 이것은 현대 철학자와 과학자에게도 몹시 당혹스러운 사상이다. 예수를 가장 정의로운 나라의 행정 수반으로 여기는 일은 '하느님' 개념을 바꾸는 일이다. '하느님' 개념을 바꾸지 않는다면 우리는 결코 예수를 하느님으로 받아들일 수 없다.

예수는 사람의 본으로 우리 앞에 나타난다. 사

람의 본을 알아볼 만한 마음을 갖는 일이 영원히 사는 길이다. 예수는 그런 마음을 가진 이에게 "그대는 구원을 받았습니다"고 말한다. 보잘것없는 예수 자신에게서 하느님의 이미지를 본다면 예수는 그에게 "믿음이 그대를 구원하였습니다"고 말한다. 믿음은 예수에게서 하느님을 보는 일이며 예수에게서 사람의 본을 보는 일이다. 이 믿음을 가진 마음은 해방된 마음이며 영원히 지속되는 마음이다.

사람의 본은 이 땅의 나에게 지극히 보잘것없는 물체처럼 보인다. 그는 강력한 무력, 거대한 성곽, 엄청난 자본, 현란한 사상, 정교한 논문, 오묘한 깨달음, 달콤한 목소리, 우아한 스타일, 아름답고 건강한 몸매, 고차원의 문화, 유연한 도시 생활, 푸른 별장, 요행 따위에 자기 존재 기반을 두지 않는다. 하지만 그는 역사 속에 들어와 실제로 모든 이를 사람으로 만난다. 그는 짐승으로 취급받는 노예, 불가촉천민, 여자, 흑인, 아이, 문둥이를 사람으로 만나 어울린다. 그는 부자나 빈자나, 여자나 남자나, 그리스인이나 야만인이나, 흑인이나 백인이나, 아이나 어른이나, 무식꾼이나 철학자나 차별 없이 그를 사람으로 만난다. 그는 바로 예수다.

땅의 사람에게 예수는 조롱거리에 지나지 않았다. 십자가에 매달려 죽은 일은 그 조롱과 거부의 절정이다. 그의 죽음은 소크라테스, 잔 다르크, 브루노, 류관순, 전태일, 이한열의 죽음과 다른 의미가 담겼다. 그는 단순히 정치 권력, 종교 권력, 학문 권력, 문화 권력에 도전했기 때문에 죽은 것이 아니다. 그의 죽음은 명예를 위한, 이념을 위한, 민족을 위한, 국가를 위한, 혁명을 위한 죽음이 아니다. 예수의 죽음은 지극히 보잘것없는 이라도 그를 사람으로 만나야 한다는 가르침을 인류가 거부했다는 사실을 상징한다. 그의 죽음은 이 거부를 폭로하면서 거부한 이들을 여전히 사람으로 만나려는 성스러운 제사다. 그의 죽음은 모든 이를 여전히 사람으로 승인하려는 모든 인류를 위한 하느님의 제사다.

기쁜 소식을 처음 전할 때부터 죽을 때까지 예수의 삶은 사랑하고 해방하는 사건의 연속이다. 예수는 해방과 사랑을 몸소 구현하는 사건들의 복합체다. 예수에게서 참사람의 삶을 알아볼 수 있는 이들은 가장 정의로운 나라의 시민을 구성한다. 예수는 이렇게 구성된 나라의 행정 수반이다. 예수에게 이 나라는 하느님 나라다. 예수에게 하느님은 사랑하고 해방하는 사건, 행위, 마음이다. 해방과 사랑을 몸소 구현하는 사건들의 복합체로서 예수는 하느님의 육화다. 사람을 사랑하고 환대했던 예수의 행위는 하느님의 출현이다. 예수는 하느님을 서술하는 실제 사례다. 예수의 삶과 죽음 자체는 하느님을 표현한다.

우리는 개념으로만 하느님을 성찰하지 않는다. 우리는 예수를 실제로 경험했던 이들의 서사로부터 하느님을 대면한다. 예수의 삶과 죽음은 이 땅에서 일어난 실제 사건이다. 예수의 삶과 죽음으로부터 우리는 예수의 마음을 겪는다. 신약성경에 따르면 예수의 마음은 '성스러운 마음' 곧 '성령'이다. 예수를 로마 제국 곳곳에 퍼뜨린 바울^{파울로스}은 오직 예수의 삶과 말씀과 죽음만을 이야기하려 했다. 우리는 한낱 아득한 존재로만 하느님을 상상하지 않는다. 우리는 예수를 참 사람으로 여기고 그의 마음을 참마음으로 여김으로써 그를 하느님과 똑같이 여긴다.

예수는 자기부정을 통해 스스로 사람 아닌 것을 모두 없애고 남은 사람의 본이 된다. 예수는 사람을 해방하려고 고통 속에, 약함 속에, 죽음 속에 영원한 승리, 영원한 강함, 영원한 생명을 스스로 숨긴 존재다. 이것이 가장 정의로운 나라의 행정 수반이 마셔야 했던 쓰디쓴 잔이다. 그는 이 잔을 피하고 싶었지만 그의 성스러운 마음은 끝내 그 잔을 마시게 했다. 이로써 그는 제자들에게 자신 있게 말할 수 있었다. "제가 세상을 이겼습니다."요한16:33 "다 이루었습니다."요한19:30 만일 우리가 예수의 자기부정 뒤에 숨겨진 해방자로서 그의 직위를 발견한다면 우리 마음은 해방될 준비를 이미 마쳤다.

오늘 여기 내 옆에 다시 예수가 나타난다면 나는 그가 사람의 본이자 가장 정의로운 나라의 행정 수반임을 알아볼 수 있을까? 나는 사람 아닌 것을 모두 없앤 뒤 남은 그 사람을 볼 때 오히려 그를 외면할지 모른다. 나의 유연한 도시 생활은 통상 사람 아닌 것으로 얻어진다. 나의 삶은 사람 아닌 것을 없앤 뒤 남는 것을 외면하는 삶이다. 나의 삶은 사람 아닌 것으로 나를 꾸미는 삶이다. 이것이 바로 세속의 삶이다.

이 세속의 삶 가운데서도 나는 여전히 사람으로 살고자 한다. 나는 이 세속의 삶에서 사랑하고 사랑받고 싶다. 이와 함께 나는 영원한 사랑, 영원한 해방, 영원한 평화를 꿈꾼다. 사람의 본을 반길 준비가 되지 않은 채 나는 사람으로 내내 존중받기를 바란다. 나는 어렴풋이 사람이지만 아직 완전히 사람이 아니다.

22

나는 오늘 예수를 만난다

예수를 믿는 이는 십자가 위의 예수를 모든 사람과 연결된 사람의 본으로 여긴다. 예수가 보잘것없는 이와 연대하듯이 그도 그들과 연대한다. 예수를 믿는 삶은 모든 사람과 연대하는 예수의 신성한 네트워크에 참여하는 삶이다.

예수를 믿는 일은 예수를 사람의 본으로 인식하는 일이다. 예수를 사람의 본으로 인식하는 이는 이미 해방의 길을 걷는다. 예수를 사람의 본으로 인식하는 일이 왜 해방의 길인가? 예수는 끝날에 일어나는 일을 이야기한다. 사람의 아들이 임금 자리에 앉아 세상 모든 사람을 심판한다. 드디어 예수가 가장 정의로운 나라의 사법권을 행사하는 장면이다.

예수는 자기 나라의 통치권을 물려받을 착한 사람들을 오른쪽에 따로 모아 그들에게 말한다.

> 제 아버지께 복을 받은 사람들이여, 와서, 세상의 기초를 놓을 때부터 그대들을 위해 마련된 이 나라를 물려받으십시오. 왜냐하면 그대들은 제가 굶주릴 때 먹을 것을 주었고, 제가 목마를 때 마실 것을 주었으며, 제가 나그네로 떠돌 때 환대하였고, 제가 헐벗었을 때 입을 것을 주었고, 제가 병들었을 때 돌봐주었고, 옥에 갇혔을 때 찾아 주었기 때문입니다. 마태25:34-36

오른쪽에 모인 사람들이 되묻는다.

> 주님, 우리가 언제 당신께서 굶주리신 것을 보고 잡수실 것을 드리고, 당신께서 목마르신 것을 보고 마실 것을 드리고, 당신께서 나그네로 떠도실 때 환대하고, 당신께서 헐벗으신 것을 보고 입을 것을 드리고, 언제 당신께서 병드시거나 옥에 갇히신 것을 보고 찾아갔습니까?^{마태 25:37-39}

예수가 임금 자리에 앉아 말한다.

> 제가 참말로 그대들에게 말씀드립니다. 그대가 여기 제 형제자매 가운데 지극히 보잘것없는 사람 하나에게 한 것이 곧 저에게 한 것입니다.^{마태 25:40}

임금 자리에 앉은 예수는 이들 착한 사람에게 영원한

생명을 선사한다.

예수는 착하지 못한 사람들을 왼쪽에 따로 모아 그들에게 말한다.

> 그대들은 제가 굶주릴 때 먹을 것을 주지 않았고, 제가 목마를 때 마실 것을 주지 않았으며, 제가 나그네로 떠돌 때 환대하지 않았고, 제가 헐벗었을 때 입을 것을 주지 않았고, 제가 병들었을 때나 옥에 갇혔을 때 찾아 주지 않았습니다.마태25:42-43

왼쪽에 모인 사람들이 반문한다.

> 주님, 우리가 언제 당신께서 굶주리신 것이나, 목마르신 것이나, 나그네로 떠도시는 것이나, 헐벗으신 것이나, 병드신 것이나, 옥에 갇히신 것을 보고 돌봐 드리지 않았습니까?마태25:44

예수가 말한다.

> 제가 참말로 그대들에게 말씀드립니다. 그대가 여기 이 사람들 가운데 지극히 보잘것없는 사람 하나에게 하지 않은 것이 곧 저에게 하지 않은 것입니다. 마태25:45

임금 자리에 앉은 예수는 이들 착하지 못한 사람에게 영원한 소멸을 선고한다.

여기서 "제 형제자매 가운데 지극히 보잘것없는 사람"은 누구인가? 이들이 누구를 가리키는지 여러 해석이 있다. 하나는 예수 공동체의 어린이, 고아, 과부, 노인, 슬픈 이, 병든 이, 가난한 이, 갇힌 이, 억눌린 이를 가리킨다는 해석이다. 이에 따르면 예수는 자기 공동체의 사람을 잘 돌봐야 하며 이것이 심판의 기준이 된다고 말하는 셈이다. 예수의 제자, 순례자, 성직자, 선교사, 전도자를 가리킨다는 해석도 있다. 이 해석은 예수 공동체가 처음 만들어질 무렵 순회 전도자를 영접할 것을 호소하는 구절로 쓰이곤 했다.

이런 두 해석은 모두 예수의 의도를 좁게 보는 것이다. 지극히 보잘것없는 사람은 예수 공동체의 지극히 작은 이뿐만 아니라 세상의 지극히 작은 이까지도 포함한다. 예수는 하느님과 사람을 사랑하라 했고,^{마가12:30-31} 아픈 이와 버림받은 이를 구하라 했으며,^{누가10:37} 자기 재산을 바쳐 가난한 이를 도와주라 했고,^{마가10:21} 아이와 고아를 돌보라 했으며,^{마가9:37} 갚을 수 없는 이에게 값없이 빌려주라 했으며,^{누가6:35} 심지어 원수까지 사랑하라 했다.^{마태5:44} 여기에 예수 공동체 내부인이냐 외부인이냐의 구별은 아예 나타나지 않는다. 또한 유대인과 비유대인, 종교인과 비종교인, 국내인과 외국인 사이의 구별도 없다.

예수의 말 "그대가 여기 제 형제자매 가운데 지극히 보잘것없는 사람 하나에게 한 것이 곧 저에게 한 것입니다. 그대가 여기 이 사람들 가운데 지극히 보잘것없는 사람 하나에게 하지 않은 것이 곧 저에게 하지 않은 것입니다"는 새로운 율법이나 새로운 윤리 규범으로 제시된 것이 아니다. 예수는 율법 준수나 윤리 실천을 기준으로 심판이 행해진다고 말하지 않는다. 예수는 "율법의 더 중요한 요소"마태23:23, "율법의 완성"로마13:10, "율법의 끝마침"로마10:4을 말하고자 한다. 그것은 사람 사랑이다. 사랑은 율법의 완성이며 끝마침이다.

    예수는 자기 삶과 죽음으로 몸소 사랑을 실천힌다. 예수는 사랑의 화신이고 그에게 정의는 사랑이다. 예수는 모든 사람에게 사랑을 요구한다. 사랑은 예수의 길이며 사람의 길이다. 사랑하는 이는 사람의 길을 걷는 사람이고 사랑하지 않는 이는 사람의 길을 걷지 않는 이다. 최후의 심판에서 우리가 예수를 알아보느냐 보지 못하느냐는 심판의 기준이 되지 못한다. 이처럼 가장 정의로운 나라에서 사법권은 교리의 숙지나 동의 여부에 따라 집행되지 않는다. 우리는 최후의 심판에서 사람의 길을 걷느냐 걷지 않느냐에 따라 심판받는다.

    예수의 이야기에서 최후의 심판은 모든 사람을 포괄하는 심판이다. 예수 앞에 소집된 이들은 예수를 모르는 사람까지 포함하여 역사상 살았던 모든 사람이다. 최후의 심판에서 지극히 낮은 한 사람을 사랑하지 않은 것은 가장 정의로운 나라의 통치자에게 그렇게 하지 않은 것이다. 지극히 낮은 한 사람에게 보인 사랑의 행위는 가장 정의로운 나라의 통치자에게 한 것이다. 그를 사랑하는 일은 그 나라의 통치를 따르는 일이지만 그를 사랑하지 않는 일은 그 나라를 반역하는 일이다.

이 이야기에서 예수는 모든 곳 모든 때의 사람과 연대한다. 예수는 스스로 "사람의 아들"이라 했는데 이 칭호는 예수와 인류 사이의 연대를 표현한다. 이 연대는 그가 낮고 억눌린 이와 나누었던 밥상 만남에서 매우 잘 드러난다. 인류를 대신하는 희생양으로 십자가에 매달려 죽은 일은 그 연대의 절정이다.

예수를 믿는 이는 십자가 위의 예수를 모든 사람과 연결된 사람의 본으로 여긴다. 예수가 보잘것없는 이와 연대하듯이 그도 그들과 연대한다. 그는 보잘것없는 한 사람 한 사람을 예수로 여긴다. 그는 매일 예수를 만난다. 결국 예수를 믿는 삶은 모든 사람과 연대하는 예수의 신성한 네트워크에 참여하는 삶이다. 그 삶은 모든 이의 삶에 동참하는 공적인 삶이다.

나는 오늘 예수를 만난다

23

그리스도인은 사람의 길을 걷는다

예수는 사람을 사랑하고 해방하는 마음 씀씀이를 지녔다. 우리 그리스도인은 예수의 이 마음이 무자비한 세계에 사랑, 자비, 용서, 정의를 깃들게 함을 믿는다. 우리는 이 세계를 하느님의 다스림이 미치는 사랑의 시공간으로 해석한다. 우리는 사랑하려고 해방된 존재며 사랑하려고 자유로운 존재다.

예수를 사람의 본, 가장 정의로운 나라의 최고 통치자, 하느님으로 여기는 이를 우리나라에서는 "기독교인"이라 한다. "기독교인"에서 "기독"은 "그리스도"나 "크리스트"의 소리를 본뜬 한자말이다. "기독교인"을 말 그대로 풀면 "기독교를 따르는 사람"이다. 하지만 말의 뿌리를 보면 "기독교인"은 "기독교"에서 온 말이 아니다. 오히려 "기독교"가 "기독교인"에서 왔다. "기독교인"에 해당하는 영어 낱말은 "크리스챤"이고 "기독교"에 해당하는 말은 "크리스채너티"다. "크리스챤"에서 "이티"를 붙여 "크리스채너티"를 만들었다.

"기독교"를 먼저 이해한 뒤 "기독교인"을 이해하면 안 된다. 기독교가 무엇인지 이해하려면 먼저 기독교인을 이해해야 한다. "기독교인"은 "기독교를 따르는 사람"이 아니라 "그리스도를 따르는 사람"이다. 이 점에서 낱말 "기독교인"보다 낱말 "그리스도인"이 더 좋다. 그리스도인은 누구인가? 그는 '예수를 그리스도로 여기는 이'다. 그는 "예수는 그리스도다"를 믿는다.

낱말 "그리스도인"은 신약에서 3번 나온다. 사

도행전에 두 번 나오는데 이 책은 누가루카스가 기원후 60년에서 90년 사이에 쓴 것으로 보인다. 사도행전 11장 26절에 "안티오키아안디옥에서 처음으로 예수를 따르는 사람들을 '그리스도인'이라 불렀다"는 구절이 나온다. 사도행전 26장 28절에는 헤로데 왕가 마지막 왕인 아그리파 2세 앞에서 바울파울로스이 재판받는 장면이 나온다. 여기서 아그리파 2세는 다음과 같이 말한다. "이렇게 짧은 시간에 네가 말로써 나를 그리스도인이 되게 할 수 있다고 생각하느냐?"

예수를 따르는 무리를 일컫는 말로 쓰인 "그리스도인"은 로마 관료의 공식 문서에도 나온다. 가이우스 폴리니우스는 기원후 112년 무렵 로마 황제 트라이아누스에게 보낸 편지에서 황제를 향한 경배를 거부하는 "크레스티안"을 언급한다. "크레스티안"은 라틴말인데 "그리스도인"으로 옮길 수 있다. 타키투스는 기원후 116년에 쓴 『연보』에서 기원후 63년 무렵 일어난 로마 대화재를 그리스도인과 결부시킨다. 사도행전의 저술 시기와 타키투스의 기록을 살펴볼 때 기원후 60

년 무렵에 그리스도인 무리가 이미 로마 제국 곳곳에 생겨났다.

한편 "그리스도"는 신약에서 약 410번 나오는데 많은 경우 "예수 그리스도" 꼴로 나온다. 갈라디아서는 바울이 세운 한 그리스도인 공동체에 부친 편지다. 바울은 이 편지 첫 구절에서 자기 신분을 강조하며 "예수 그리스도"를 언급한다. 바울이 이 편지를 쓸 무렵 이미 예수를 그리스도라고 믿는 무리가 나타났다. 이 편지는 예수가 십자가에서 죽은 뒤 약 10년에서 25년 사이에 쓰였다. 따라서 예수를 그리스도로 여기는 무리는 예수의 죽음 이후 얼마 되지 않아 이미 나타났다.

"그리스도"는 그리스말 "크리스토스"에서 왔다. "크리스토스"는 히브리말 "메시아"를 그리스말로 옮긴 말이다. "크리스토스"와 "메시아"는 둘 다 '기름 부음 받은 이'를 뜻한다. 구약의 선지자는 만물과 사람을 해방하는 메시아를 기다렸다. 신약 본문을 쓰고 후대에 내려준 기원후 1세기 그리스도인들은 십자가에 매달려 죽은 갈릴리 나사렛 촌뜨기 청년 예수를 구약의 그 메시아로 여겼다.

기원후 2세기부터 "예수는 그리스도다"를 정당화하는 교리 체계가 차츰 만들어졌다. 그리스도교의 정체성을 특징지은 표준 교리는 「사도신경」이다. 기원후 2세기부터 나온 여러 신앙고백을 종합했는데 오늘날 그리스도인들이 외우는 라틴말 본문은 기원후 710년과 724년 사이에 완성되었다. 여러 신앙고백 가운데서 가장 중요한 것은 기원후 325년의 제1차 니케아 공의회에서 채택한 「니케아신경」이다. 이는 기원후 381년의 제1차 콘스탄티노플 공의회에서 조금 더 다듬어졌다. 「니케아신경」에는 천지창조, 삼위일체, 동정녀 탄생, 십자가, 부활, 승천, 재림, 속죄, 영생 교리가 들어 있다. 이들 교리 가운데 그리스도교의 고갱이는 삼위일체 교리다.

삼위일체는 "우주를 만든 아버지 하느님, 세계를 해방하는 하느님의 아들딸 예수, 세계를 보살피고 우리를 하느님께 이끄는 어머니 성령이 서로 다른 개

별자고 이 셋이 모두 똑같다"는 주장이다. 삼위일체 교리는 여러 논제의 결합물이다. 첫째, 예수는 슬픔과 아픔을 겪는 사람이다. 그는 굶으면 배고프고 찔리면 아프고 때리면 멍이 든다. 둘째, 예수는 모든 이를 사랑하고 해방하는 하느님이다. 셋째, 하느님은 오직 한 분밖에 없다. 이 세 논제로부터 "사람 예수는 한 분밖에 없는 그 하느님이다"를 얻는다.

    삼위일체는 논리와 이성의 관점에서 결코 이해할 수 없다. 하지만 이 교리에 기독교의 핵심이 담겼다. 왜 그리스도인은 "예수는 매우 빼어난 사람이기는 하지만 그렇다고 하느님은 아니다"고 말하지 않을까? 또는 "예수는 하느님이고 그냥 사람의 겉모습을 띠고 잠시 나타났을 뿐이다"고 말하지 않을까? 지난 2000년 동안 둘 가운데 하나만 믿어야 한다는 제안이 끊임없이 제기되었다. 하지만 기독교의 실제 역사는 쉬운 길을 걷지 않고 "예수는 사람이고 하느님이다"를 믿는 몹시 어려운 길을 걸었다. 기독교가 이 어려운 길을 걸은 일은 결코 기독교의 흑역사가 아니다. 아픔을 겪는 한 사람이 하느님이라는 생각은 기독교가 인류 사상사에 남긴 가장 위대한 유산이다.

복음서를 쓴 이들은 예수를 인간 고통으로부터 완전히 면제된 귀신으로 그리지 않았다. 복음서에서 예수는 눈물 흘리고 심하게 아픔을 느낀다. 예수도 다른 이에게 자신이 기뻐하고 즐거워하며 슬퍼하고 아파하는 사람으로 비치기를 바랐다. 복음서는 십자가 위에서 극단의 고통으로 애타게 부르짖는 연약한 사람으로 예수를 기술한다. 그런 다음 그가 모든 이를 사랑으로 해방하는 메시아라 주장한다. 이 혼란스러운 기술에 기독교의 핵심이 담겼다.

예수는 자신의 위상을 동정녀 탄생, 기적, 초능력, 부활, 승천에서 찾지 않는다. 그는 사랑으로 낮은 이와 어울리고 그를 고치고 해방하는 데서 자기 위상을 드러낸다. 예수에게 하느님은 사랑의 힘을 써서 사람을 해방하고 만물을 화해하는 착한 마음이다. 그리스도인은 사랑의 힘으로 사람을 해방하는 예수에게서 사람의 본, 사람의 원형, 사람의 해방자, 하느님의 모습을 본다. 그리스도인은 모든 사람을 대신하여 십자가에 매달려 죽은 희생양 예수에게서 하느님을 본다.

예수는 사람을 사랑하고 해방하는 마음 씀씀이를 지녔다. 그리스도인은 예수의 그 참된 마음, 그 착한 마음, 그 아름다운 마음이 성스러운 마음이라 믿는다. 그는 그 마음이 하느님이라 믿는다. 그는 그 마음이 무자비한 세계에 사랑, 자비, 충서, 정의를 깃들게 함을 믿는다. 그는 그 마음이 입자들, 운동들, 충돌들, 반사들, 충동들, 투쟁들만이 있는 이 사막을 사랑이 깃든 오아시스로 만드는 힘이라 믿는다.

그리스도인은 누구인가? 그는 예수가 모든 이와 연대하는 하느님임을 볼 줄 아는 사람이다. 그는 이 세계를 하느님의 다스림이 미치는 사랑의 시공간으로 해석하는 사람이다. 그는 만물을 해방하고 화해하는 가장 정의로운 나라를 물려받은 공동 통치자다. 그는 타자를 분리하고 처벌하는 심판관이 아니다. 그는 타자를 장악하려고 난폭하게 팽창하는 공룡이 아니다. 그는 사람의 본을 볼 줄 알며 그 본을 본받아 사람의 길을 걷는 사람이다. 그는 사랑하려고 해방된 존재며 사랑하려고 자유로운 존재다.

그러므로 우리에게 사랑의 감옥 같은 건 없다

24

교회는 사람이 생기는 코뮌이다

교회는 사람이 생겨나는 공간이다. 교회는 사람이 자라나는 터전이다. 교회는 땅과 하늘이 만나는 장소다. 교회는 헌금을 수탈하는 곳, 교리를 세뇌하는 곳, 신학과 형이상학으로 우리 지성과 감성을 마비시키는 곳, 의존성과 수동성과 배타성을 극대화하는 곳이 아니다.

예수가 걷던 길을 따르는 이는 누구나 그리스도인이다. 예수가 걷던 길이 사람이 마땅히 따라야 할 길임을 믿는 이는 누구나 그리스도인이다. 예수를 사람의 본으로 여기는 이는 누구나 그리스도인이다. 이들 그리스도인의 모임을 "교회"라 한다. 교회는 예수를 사람의 본으로 생각하는 이의 모임이다. 교회는 예수와 더불어 사람의 길을 걷는 이의 모임이다. 하지만 교회는 성전, 성당, 예배당, 교회당에 모인 모임이 아니다. 사람의 길을 아예 걷지 않은 채 그 건물에 드나드는 일이 그리스도인이 되게 하지는 않는다. 교회당이나 성당 자체는 교회를 만들지 못한다.

사람의 길을 걷는 이의 모임은 가장 정의로운 나라의 해방 활동으로 생긴다. 교회를 생기게 하는 것은 건물이 아니라 해방 활동이다. 그 나라는 사랑의 힘으로 사람을 그가 본디 있어야 할 자리와 그가 본디 걸어야 할 길에 데려다 놓는다. 세계에 스며든 이 사랑과 해방의 다스림을 받아들이고 그 다스림을 자기 삶에 맞아들이는 이들은 그 나라에 들어간다. 그 나라에 들어온 이는 그 나라의 시민이 된다. 바로 이 시민이 그리스도인이고 이들의 모임이 교회다.

하지만 나라와 시민은 같지 않다. 교회와 가장 정의로운 나라는 다르다. 역사상 교권을 장악한 이들은 자신이 마치 그 나라의 우두머리인 양 행세했다. 그들 가운데 몇몇은 세속 국가들을 다스리는 세계 정부의 우두머리로 우뚝 서기를 바랐다. 물론 각 시민은 그 나라의 공동 통치자일 수 있다. 하지만 교회의 우두머리는 세속 국가의 우두머리가 아니며 하느님 나라의 우두머리도 아니다. 베드로든 바울이든 교황이든 총회장이든 그는 하느님 나라의 수장이 아니다.

예수와 그의 제자는 교회를 세상에 퍼트리지 않았다. 그들이 퍼트린 것은 하느님 나라의 기쁜 소식이다. 그들은 사람을 해방하는 그 나라의 활동을 퍼트렸다. 우리 그리스도인은 다른 사람을 그 나라의 시민으로 초대하려 애쓴다. 그리스도인은 다른 사람이 사람의 길을 걷는다면 그것으로 기뻐하고 만족한다. 왜냐하면 그가 사람의 길을 걷는 것만으로 그는 이미 그 나라의 시민이기 때문이다.

하지만 오늘날 스스로 그리스도인이라 일컫는 이들은 다른 사람을 성당과 교회당에 끌어들이는 데 관심이 더 많다. 그들은 가장 정의로운 나라의 활동이 아니라 성당과 교회당을 짓고 그 안에서 일어나는 행사에 신경을 많이 쓴다. 큰 교회당을 짓는 일은 그 나라가 성장하는 것과는 무관하다. 진정한 그리스도인은 하느님 나라가 이 땅에서 그 힘을 미치는 방식을 본받고 예수가 걷던 사람의 길을 걷는다. 사람의 길을 걷는 이는 이미 그리스도인이다. 사람의 길을 걷는 이의 모임은 이미 교회다.

가장 정의로운 나라는 지금 이 땅에서 낮은 이와 버림받은 이를 받아들인다. 그 나라는 세상 끝날까지 밀과 독보리를 함께 자라도록 내버려 둔다. 그 나라는 온갖 것을 뭍으로 끌어올리는 그물처럼 온갖 사람을 해방하고 온갖 사물을 어울리게 한다. 그 나라는 온갖 사람을 불러 모으고 그렇게 모인 사람이 그 나라의 시민을 이루고 교회를 이룬다. 그 나라는 출신, 성별, 피부색, 계급, 재산, 학식, 이데올로기, 교리, 종교를 따지지 않는다. 그 나라가 사람을 가려 뽑지 않듯이 교회도 온갖 사람을 받아들이는 공동체여야 한다. 교회는 엄선된 회원으로 이뤄진 클럽이나 계약으로 맺어진 동아리가 아니다.

이곳저곳에 가짜 교회들이 있다. 세속 동아리에 지나지 않는 가짜 교회는 가장 정의로운 나라를 퍼트리지 않는다. 가짜 교회는 교리의 미세한 차이가 구원과 파멸을 나누는 양 사소한 의견 차이에 따라 사람을 가리고 나눈다. 가짜 교회는 사람과 사람 사이에 더 높은 벽을 쌓는다. 거기에 모인 이들은 사람의 길을 걷지 않는다. 그들은 사람의 본을 따르는 데 관심이 없다. 그들은 인습 전통에 따라 성공을 좇고 인습 전통에 따라 사람을 갈래짓는다. 그들은 오히려 하느님 나라의 정책으로부터 가장 멀리 떨어진 정치 모리배를 세속 국가의 정치 지도자로 내세운다. 이런 식으로 그들은 정의롭지 못한 통치에 부역하며 하느님 나라를 거역한다.

훈민정음의 창제 원리가 말해주듯 사람은 하늘과 땅 사이에 있다. 아담이 그렇듯이 사람은 땅의 흙과 하늘의 숨으로 빚어졌다. 우리는 땅의 힘만으로 사람이 되지 못한다. 정의와 사랑 같은 하늘의 힘도 있어야 한다. 하느님 나라는 사람을 해방하여 그를 사람의 본에 따라 사람의 길을 걷게 한다. 우리 그리스도인은 이미 어렴풋하게 사람이다. 하지만 우리는 아직 완전히 사람이 아니다. 우리는 매일 사람으로 생겨나고 매일 사람으로 깨어나고 매일 사람으로 자란다.

교회는 사람의 공동체, 바로 코뮌, 그냥 코뮌, 있는 그대로의 코뮌이다. 교회는 사람이 생겨나는 공간이다. 교회는 사람이 자라나는 터전이다. 교회는 땅과 하늘이 만나는 장소다. 교회는 헌금을 수탈하는 곳, 교리를 세뇌하는 곳, 신학과 형이상학으로 우리 지성과 감성을 마비시키는 곳, 의존성과 수동성과 배타성을 극대화하는 곳이 아니다.

25

예수는 왜 하느님인가?

여태 예수의 마음은 마음들의 코뮌에 스며들어와 세계를 사랑과 해방의 장소로 바꾸어 왔다. 우리는 진선미의 힘이 지금 여기에 미친다고 믿으며 그 힘을 몸소 드러낸 예수의 참 좋은 그 마음을 느낀다. 우리는 예수의 그 마음이 가장 좋은 마음 곧 하느님이라 믿는다.

하느님이 없다고 믿는 이들은 "예수는 하느님이다"를 믿지 않는다. 하느님이 있다고 믿는 이들 가운데서도 많은 이가 "예수는 하느님이다"를 믿지 않는다. "예수는 왜 하느님인가"에 답하려면 하나님이든, 여호와든, 야훼든, 알라든, 천주든 하느님이 적어도 한 분 있어야 한다.

나는 "예수는 왜 하느님인가?"를 매우 색다른 방식으로 대답하려 한다. 나는 여러 믿음을 엮어 "예수는 하느님이다"를 믿음직하게 할 것이다. 앎에 바탕을 두고 논증해야 한다고 타박할지 모르겠다. 많은 과학철학자가 논증했듯이 우리가 할 수 있는 가장 나은 논증은 고작 매우 그럴듯한 믿음에서 출발할 뿐이다. 데카르트는 "적어도 한 하느님이 있다"가 논리나 수학보다 더 확실한 앎이라 생각했지만 이것은 그냥 믿음일 뿐이다. 논리와 수학은 실제 세계에 관여하지 않는 만큼만 확실하다. 한 명제가 실제 세계에 관여한다면 그 명제가 참일 가능성은 언제나 100%보다 낮다. 현대 물리학조차도 매우 믿음직한 믿음들에 바탕을 둘 뿐이다.

예수는 참말로 있었던 사람이다.

나의 논증이 출발하는 믿음들에도 미덥지 못한 부분이 있다. 나는 데카르트의 만용을 부리지 않는다. 내 논증의 출발점은 먼저 "복음서 텍스트가 있다"다. 이 텍스트 안에 여러 문장이 나온다. 한 텍스트 안에 이런 문장이 있다고 하자. "예수는 문장 A를 말했다." 문장 A는 뜻을 지니기에 자연 발생한 문장이 아니다. 그 문장은 누군가 뜻을 갖고 뜻을 담아 만든 문장이다. 나는 "뜻을 갖고 표현에 뜻을 담는 이"를 "사람"으로 정의한다. 나는 '자기 뜻을 갖고 문장 A에 뜻을 담은 그 사람'에게 이름 "예수"를 붙인다. 나에게 예수는 복음서에 나오는 기쁜 소식 텍스트를 말한 사람이다. 그 텍스트를 나는 "예수 텍스트"라 하겠다. 정의상 예수 텍스트를 말한 사람은 예수다. 복음서 저자들은 예수 텍스트를 글자로 남긴 이들이다.

여기에 여러 논쟁거리가 있다. 복음서는 아마도 여러 텍스트를 엮은 것이다. 이것은 많은 문헌학자가 인정하는 바고 나도 이를 받아들인다. 하지만 나는 복음서의 예수 텍스트 자체가 여러 사람의 말을 엮은 것이라 보지 않는다. 오늘날 신약 연구자들은 예수가 말한 것과 말하지 않은 것을 나누려 애쓴다. 대체로 그들은 기쁜 소식 텍스트가 예수에게서 나온 것으로 본다. 하느님 나라의 기쁜 소식 텍스트에는 새로운 사상이 담겼다. 나에게 이름 "예수"는 바로 그 사상을 가진 사람을 가리키는 이름이다. 나의 정의에 따르면 예수는 하느님 나라의 기쁜 소식 텍스트를 말한 바로 그 사람이다. 모든 사상은 실재하는 사람에게서 나온다. 따라서 예수는 참말로 있었던 사람이다.

우리는 플라톤의 텍스트가 플라톤이 썼다고 믿는다. 한 연구에 따르면 플라톤 텍스트의 사본은 고작 7개고 원본 텍스트와 사본 텍스트 사이 간격은 짧아야 1200년이다. 반면 신약 텍스트는 그리스 글자 사본만 수천 개고 원본 텍스트와 사본 텍스트 사이 간격은 짧으면 100년 안팎이다. 문서비평가들은 통계 방법을 써서 텍스트 원본과 사본 사이의 일치 정도를 가늠한다. 사본들 사이에 차이가 작으면 작을수록 원본과 사본의 차이도 작다. 신약 텍스트의 사본 사이 일치 정도는 99.5%에 이른다. 이에 따르면 현재의 복음서 텍스트는 원본 텍스트와 거의 일치한다.

신약, 좁게 복음서, 더 좁게 예수 텍스트의 후대 조작 논쟁은 새로운 정보나 통찰을 주기 어렵다. 복음서 텍스트 자체가 가진 문헌학상의 신뢰성을 받아들이지 않으면 기의 모든 고대 텍스트를 받아들일 수 없다. 철학자는 플라톤 텍스트 안으로 들어가 그 안에 담긴 생각, 사상, 의미를 깊이 묻듯이 나도 예수 텍스트 안으로 들어가 그렇게 한다.

예수는 가장 좋은 마음을 지녔다.
여태 우리가 읽었듯이 예수는 참으로 놀라운 모습으로 우리 지성 앞에 나타난다. 생각이 세상에 차이를 만든다. 예수는 자신의 아름다운 생각으로 세상에 그만큼의 차이를 만들었다. 나는 내가 마음을 지녔다고 믿듯이 예수도 마음을 지녔다고 믿는다. 예수는 가장 좋은 다스림을 펼치는 이의 마음으로 다른 사람을 만났다. 예수의 생각, 그 생각을 품은 그의 마음을 오늘날 그리스도인은 '거룩한 마음' '성령'으로 여긴다. 예수의 마음은 '참 좋은 그 마음'이며 '참 착한 그 마음'이다. 그리스도인은 예수가 가진 이 마음이 가장 좋은 마음이라 믿는다.

어떤 이는 붓다의 마음을, 어떤 이는 공자의 마음을, 어떤 이는 소크라테스의 마음을 가장 좋은 마음이라 믿는다. 그만큼 그들 마음은 몹시 빼어나다. 사실 흠 많은 우리 마음은 가장 좋은 마음이 어떤 마음인지 가늠하기 어렵다. 사람의 본이 가진 마음은 아마도 가장 좋은 마음일 것이다. 철학자로서 나는 예수가 사람의 본보기라고 믿는다. 그는 사람의 귀감이다. 이 때문에 나는 예수의 마음이 가장 참된 마음이고 가장 착한 마음이며 가장 아름다운 마음이라 믿는다. 가장 좋은 마음은 하느님이다. 결국 나는 예수의 마음이 하느님 마음이라 믿는다.

예수는 하느님이다.

예수는 가장 정의로운 나라의 통치 방식을 묘사함으로써 가장 합당한 '하느님' 개념을 갖게 했다. 말과 행위를 통해 그는 "하느님"이 들어간 많은 문장이 참이게끔 했다. 그 문장들을 참말이자 복음으로 받아들이는 이들은 그 문장들로부터 '하느님' 개념을 얻는다. 예수는 그 '하느님' 개념에 가장 맞는 속성을 자기 삶에서 몸소 드러냈다.

예수는 우리 세계에 나타난 아름다운 마음이다. 예수를 가까이서 겪은 사람들은 "예수는 하느님이다"를 믿었고 그리스도인이 되었다. 그리스도인은 "예수는 하느님이다"를 믿는 방식으로 '하느님'을 이해한다. 그는 자신이 만든 나름의 개념 '하느님'으로부터 믿음 "예수는 하느님이다"에 이르지 않는다. 오히려 그는 "예수는 하느님이다"를 믿음으로써 '하느님' 개념을 갖는다. 이것이 기독교 사상 체계와 유신론 사상 체계의 가장 돋보이는 차이다. 기독교는 "예수는 하느님이다"가 참인 명제가 되게끔 '하느님'을 뜻매김한다.

역사 속의 한 실존 인물 예수는 뜻을 갖고 말하고 행했다. 예수의 마음이 마음들의 코뮌에 스며들어와 오늘날 우리를 움직인다. 그의 마음은 여태 세계를 사랑과 해방의 장소로 바꾸어 왔다. 그리스도인은 예수와 더불어 사랑과 해방의 관점에서 이 세계를 가꾼다. 그리스도인은 이 세계를 진선미가 스며든 곳으로 여긴다. 그는 진선미의 힘이 지금 여기 미친다고 믿는다. 그는 그 힘을 몸소 드러낸 예수의 참 좋은 그 마음을 느낀다. 나아가 그는 예수가 가장 정의로운 나라의 행정 수반이라 믿는다. 이 세계에서 가장 정의로운 나라의 행정 수반은 그가 누구든 하느님이다. 이로부터 그리스도인은 예수를 하느님으로 받아들인다.

글쓴이 김명석은

물리학과 수학과 철학을 공부했습니다. 철학박사를 받은 다음 경북대 기초과학연구소 연구초빙교수, 대통령 직속 중앙인사위원회 PSAT 전문관, 국민대학교 교수로 연구하고 일하고 가르쳤습니다. 현재 생각실험실 대표연구원이며 이화여자대학교 연구교수입니다. 여태 쓴 논문으로는 「심적 차이는 역사적 차이」, 「인식론에서 타자의 중요성」, "Ontological Interpretation with Contextualism of Accidentals", 「자연의 원리: 측정과 자연현상」 따위가 있습니다. 「존재에서 사유까지: 타자, 광장, 신체, 역사」로 2003년 만포학술상을 받았고, 「나, 지금, 여기의 믿음직함」으로 2018년 한국과학철학회 논문상을 받았습니다. 쓴 책으로는 『우리 말길』, 『두뇌보완계획 100』, 『두뇌보완계획 200』, 『과학 방법』, 『논리 논리 하양』 따위가 있습니다. 후기분석철학의 인식론과 언어철학, 언어와 사고의 기원, 의미의 형이상학, 뜻 믿음 바람 행위의 종합이론, 학문의 우리말 토착화, 양자역학의 존재론 해석, 측정과 물리 현상, 해석과 마음 현상, 믿음의 철학 따위를 주로 공부합니다.

myeongseok@gmail.com

이 책은 생각실험실을

키우는 데 이바지합니다. 생각실험실은 배우는 이들이 연구하면서 일하는 대안회사며, 대안대학원이며, 대안연구소입니다. 생각실험실은 슬기로움을 사랑하는 이들을 위한 카페며, 서점이며, 스튜디오며, 독서실이며, 도서관이며, 서당이며, 서원이며, 교회입니다. 이 책을 읽고 널리 퍼뜨리는 일은 생각실험실을 키우는 밑거름입니다.

이 책의 출판을 지원해주신

강기대, 강미정, 김동건, 김선철, 김옥, 박준화, 박진원, 새벽, 신기철, 조용섭, 호랑교실 등 클라라 클럽 회원들께 고맙습니다.

예수 텍스트

초판 1쇄 발행 2023년 5월 23일

지은이 김명석
펴낸이 안미경
디자인 안박스튜디오

펴낸곳 필로스
주소 서울시 광진구 능동로41길 17, 401호
전화 010-2850-2958
ISBN 979-11-983170-0-1 (03980)

SNS @pilos.page
전자우편 pilos_books@naver.com

출판등록 2021. 10. 13 제20233-000027호

ⓒ 김명석, 2023